CW00763361

VERS LA MAÎTRISE DU TÉLÉMARK ET AU-DELÀ

VERS LA MAÎTRISE DU TÉLÉMARK ET AU-DELÀ

Les skieurs de

Tsallen

www.mastery-and-beyond.com

Titre original : Toward Telemark Mastery and Beyond
Copyright © 2023 Olivier Couvreur

Toute représentation ou reproduction intégrale, ou partielle, ne peut être faite sans le consentement écrit de l'éditeur.

Edition : Olivier Couvreur, Le Méridien de Paris
7 rue Émile Dubois, Paris XIV
Impression : BoD - Books on Demand, Norderstedt, Allemagne

ISBN: 978-2-9553579-5-8

Dépot légal : Septembre 2023

À nos familles

P.R., L.H., J.I., L.T., O.C.,
M.D., A.A., M.L., S.E.

Sommaire

Table des matières

PRÉFACE

De la maîtrise du ski à la maîtrise du télémark et au-delà

Nous sommes des glisseurs sur neige. La plupart d'entre nous pratiquent plusieurs glisses (ski, snowboard, monoski, télémark…), parfois même au quotidien.

Au moment de choisir le titre de l'ouvrage que nous étions en train d'édifier, nous avons débattu de chaque mot… *Vers la maîtrise et au-delà* s'est finalement imposé comme une évidence. Mais le point qui nous parut indiscutable était que le titre devait aussi mentionner l'objet de cette maîtrise. Et c'est là que les problèmes commencèrent ! Cela devait être le ski pour certains, alors que d'autres préféraient le snowboard, le télémark, le monoski ou le skwal ! En effet, si les chemins présentés dans *Vers la maîtrise du ski et au-delà*[1] sont bien communs, ils ont néanmoins été parcourus par chacun sur des planches différentes, et se poursuivront sur ces divers engins.

Toutefois, pour notre éditeur, il fallait faire simple… « Ski » s'est imposé comme un terme générique pour la première version. Dans

---

[1] *Vers la maîtrise du ski et au-delà* a été publié en 2022, voir bibliographie.

une acceptation large, il permettait d'englober les autres pratiques et le choix d'un vocable unique facilitait la lecture. *Vers la maîtrise du ski et au-delà* restait cependant un ouvrage résolument multiglisses. Par souci de simplicité, nous avons retenu de ne pas décliner chaque élément technique selon toutes les variantes de glisse dans le livre. Il y avait pourtant une solution à ce problème : dédier une version à chacune d'elle si la première édition de *Vers la maîtrise du ski et au-delà* était bien reçue. C'est aujourd'hui chose faite !

Pour l'ensemble de l'équipe, cette nouvelle édition est avant tout une manière de souligner que cet ouvrage est valable pour toutes les glisses.

Nous croyons fermement que lorsque l'on pratique plusieurs glisses sur neige, elles s'alimentent entre elles. Il y a des apprentissages croisés. Ce qui est maîtrisé sur un type d'engin peut venir enrichir la conduite d'un autre. Cette version reprend donc tout le contenu essentiel de l'original en contextualisant la matière amont la plus technique pour le télémark.

Plus largement, la capacité à établir des ponts entre les pratiques prépare déjà à voir la glisse comme un tout. Ensuite, cette faculté ouvre la voie à transposer ces apprentissages au-delà de la glisse, dans tous les aspects de notre vie.

Les skieurs de Tsallen

Free your heel. Free your mind.

« Free your heel. Free your mind. » soit « Libère ton talon. Libère ton esprit. » Qui n'a jamais entendu ce slogan relatif au télémark ?

Dans un environnement dominé par le ski alpin et le snowboard, se lancer dans la pente avec le talon libre nécessitait en premier lieu de se libérer d'un certain nombre de préjugés, de faire preuve de liberté d'esprit. Lorsque la pratique du télémark sur les pistes était loin d'être une évidence, cela demandait même un engagement allant au-delà de la descente… Il fallait franchir des barrières psychologiques et techniques. Pour certains, cela se combinait avec l'adoption d'un autre style de vie. Dans tous les cas, cela commençait par une réinitialisation de ses méthodes de ski, d'où la nécessité de libérer son mental au préalable.

Aujourd'hui, le télémark s'est largement répandu. Il est dans certaines régions devenu totalement commun. Dans les grands domaines skiables, pas une journée ne se passe sans croiser un télémarkeur sur les pistes. Il n'en reste pas moins qu'il faut encore franchir le pas vers cette autre technique de ski, mais cette entreprise est maintenant facilitée par le matériel moderne et les multiples possibilités de bénéficier de l'expérience de pairs.

Une fois la transition faite, la quête du virage parfait est lancée. C'est justement le renouvellement de leur champ d'apprentissage qui incite tant d'anciens skieurs à persévérer dans le télémark. Arriver à un certain niveau de ski alpin, ils redécouvrent une nouvelle pratique de ski à explorer. Les différentes conditions de neige imposent de retravailler le virage télémark, de le perfectionner. Cette recherche est sans fin. D'autant que si l'on se place dans une perspective historique, l'évolution du matériel a accentué ce renouvellement permanent au cours des dernières décennies. Les premiers d'entre nous ont commencé avec des chaussures en cuir et des skis fins, puis ont connu plusieurs générations de bottes plastiques, et enfin l'apparition de la norme de fixation NTN. Chacune de ces étapes a permis d'accéder à plus d'efficacité, mais a aussi imposé chaque fois de réapprendre de nombreuses choses.

L'appel « Free your mind » n'était cependant pas qu'un prérequis, mais également une promesse. Au-delà de la recherche de la maîtrise de la technique du télémark, il y avait un autre chemin à parcourir. La glisse et en particulier le télémark en était une des voies d'approche, car nécessitant de se libérer de multiples entraves. Libérer le talon pouvait aussi être une étape vers une libération de l'esprit.

Ce n'est donc pas un hasard si des télémarkeurs ont été des moteurs de l'aventure *Ski Mastery and Beyond*. Pour ceux qui avaient déjà dépassé la technique du ski alpin pour s'engager dans une longue quête de la maîtrise d'un nouvel art du virage sur neige, l'élan ne s'est jamais interrompu, l'ouverture était toujours là… Aller sur nos skis de télémark encore au-delà était une nécessité, une évidence, un devoir… Ce sont ces chemins, communs avec ceux d'autres glisseurs, qui se trouvent dans *Vers la maîtrise du ski et au-delà*, et maintenant dans cette version qui rend hommage à notre glisse originelle ou d'adoption, le Télémark.

Jan, Lene, Livia, Olivier, Scott
Les télémarkeurs de Tsallen

Comment accéder à la descente parfaite et aller au-delà ?

Te rappelles-tu cette lumineuse descente en télémark où tout semblait si simple ? La neige était parfaite. Non pas tellement parce qu'elle était d'une qualité particulière. Mais encore mieux, elle paraissait ce jour-là faite pour tes skis, faite pour toi ! Les skis savaient exactement où aller. Ils glissaient comme jamais, sans lutter le moins du monde contre la neige, ne faisant qu'un avec elle, comme si elle était le plus fluide des éléments. Ils passaient d'une carre à l'autre instantanément, avec une précision inégalable. Le moindre signe dans la neige était immédiatement interprété. Les skis épousaient la neige pour en tirer la plus efficace, la plus souple et la plus élégante des courbes. Ce qui les guidait avec une telle perfection n'était pas le fruit d'une réflexion consciente. Cela était complètement inné, cela te dépassait. Tu te trouvais alors comme volant au-dessus de l'action, au-delà de toutes autres préoccupations, en train de vivre une expérience de symbiose totale avec les skis et la montagne. Ton corps et tes skis composaient une œuvre s'accomplissant sous tes yeux sans le moindre effort. Ta perception du temps n'était plus la même. Tout l'espace-temps traditionnel de la trajectoire était ainsi complètement condensé et maîtrisé. Il se dévoilait sous un jour différent.

Parfois, ce qui est vécu sur les skis va jusqu'à nous offrir une liberté sans égale par ailleurs. Une liberté dans des dimensions nouvelles et de ce fait bien plus vaste, même immensément plus vaste, car d'une autre nature… Un instant d'éternité ou d'infini… Cette expérience, nous sommes nombreux à l'avoir faite sur les skis à divers degrés ; au moins partiellement, voire au-delà de ce qui est brièvement décrit ci-dessus. Peut-être une seule fois, peut-être à plusieurs reprises…

Alors qu'en bas de la pente ou sur le chemin du retour, nous en mesurions tout le caractère unique, essentiel, voire ultime ; déjà, se posait la question de revivre un instant semblable.

Comment accéder une fois de plus à une telle expérience ?
Comment atteindre à nouveau un tel niveau de performance ?
Comment rejoindre cet état de conscience, où les limites de notre personne disparaissent ?

Et si l'on a la chance d'accéder de nouveau à ce moment précieux à l'occasion d'autres descentes, une interrogation plus large dépassant la pratique du télémark, la montagne et tous les engins de glisse se présente :

Comment transposer cela dans tout le reste de notre vie ?

Comme tout art, comme tout sport, le télémark s'inscrit dans le cadre plus large de la vie de celui qui le pratique. Le télémark n'a pas qu'une fonction utilitaire visant à descendre des pentes. Pareillement à toute activité, il implique plusieurs plans de l'être. Certes, le télémark est principalement un exercice physique, mais il embarque aussi notre intellect et notre subconscient dans le mouvement. La manière dont nous l'abordons et les émotions que cette activité génère ou canalise ne peuvent en être dissociées. Même la performance d'une descente ne peut être considérée sous un angle exclusivement mécaniste. Toutes les décisions infiniment précises qui conditionnent la qualité de cette descente prennent leur source dans notre instinct le plus profond. Le télémark doit donc être regardé dans une perspective intégrale et pas seulement technique.

La littérature à ce sujet est peu étoffée. On peut néanmoins noter quelques ouvrages qui nous apportent des bases solides pour une telle entreprise. En premier lieu, dans *Inner Skiing* publié en 1977, Timothy Gallwey et Robert Kriegel abordent la gestion des pensées et de la peur. Ils fournissent des méthodes pour mettre les autres pensées de côté et plus facilement dédier son attention à l'exécution du ski. Une approche de l'apprentissage du ski fondée sur l'observation et le développement de l'attention bien plus que sur l'instruction technique est également privilégiée. Enfin, pour eux, la compétence clé du maître est la capacité à faire naître et maintenir une concentration *détendue*, *souple*. De cette aptitude à faire l'expérience de la descente en conscience et de la qualité de la concentration dépendent la qualité de la pratique du télémark et de la vie en général. Ensuite, dans *La Glisse intérieure*, en 2005, Thias Balmain part des bases de la mécanique du ski, de son comportement sur la neige, pour revisiter notre manière de skier. Il propose ainsi un usage plus efficace de notre corps sur les skis. On passe alors de la lutte contre les éléments ou les skis à une harmonie avec l'environnement. Les points essentiels de son approche sont synthétisés sous la forme de *katas*, des séquences de mouvements visant en particulier à placer le skieur dans une relation consciente avec son corps et ce qui l'entoure. Les deux ouvrages cités se rejoignent totalement dans le fait de voir le ski comme un art de la glisse dont la maîtrise va bien au-delà de la simple technique. La maîtrise de cet art irriguera alors l'ensemble de la vie pour devenir un art de vivre. C'est aussi de ce sujet que traite Rick Phipps dans *Skiing Zen* en partageant le récit de son aventure initiatique de ski au Japon. En cherchant à répondre à la question de savoir si le sport et en particulier le ski pouvait être le support d'un chemin spirituel, il arrive à des conclusions similaires. Notamment, il souligne que l'essence profonde de la *maîtrise* n'est pas d'être le meilleur skieur, mais le meilleur être humain.

Le télémark est un extraordinaire laboratoire de la vie. Un laboratoire est un lieu privilégié, isolé, où l'on expérimente et découvre, pour ensuite en déduire des applications concrètes utiles pour la vie quotidienne. La pratique du télémark peut nous offrir cet environnement. La montagne est un milieu particulièrement favorable, à l'écart du reste du monde. Surtout, le télémark mobilise notre concentration en nous isolant d'autres pensées et contraintes qui constituent notre paysage mental habituel. C'est aussi un des rares contextes où on a pu atteindre ces fameuses expériences qui ont réussi à tant nous marquer à l'occasion d'une descente. S'il est si propice à l'atteinte de ce niveau d'expérience, utilisons-le donc pour explorer plus avant et perfectionner l'accès à ces états. Cependant, la phase la plus complexe de la recherche est souvent de passer du laboratoire aux applications dans la vie quotidienne. Ce qui marche si bien dans le contexte pur et sans perturbation du laboratoire peut devenir une entreprise hors de portée, une fois replongé dans un environnement riche de ses contraintes, perturbations et autres phénomènes. « Qu'est-ce qui pourra empêcher la vivacité de cette expérience de s'évaporer dans la routine de nos schémas de pensée et comportements habituels ? Comment retrouver la même clarté de conscience sans l'extase du ski pour apaiser notre esprit ?[2] » C'est sur ce questionnement que nous laissent nos prédécesseurs ; non sans nous recommander d'aller maintenant skier sur la montagne intérieure… Pourtant, c'est le principal aspect du problème ! Que pouvons-nous préparer dans ce laboratoire du télémark qui nous permettra de transposer ce que nous y avons trouvé dans d'autres activités et dans l'intégralité de la vie ? Là est bien le stade le plus élevé de la *maîtrise* : pouvoir reproduire son art hors de la pratique de celui-ci.

Existe-t-il alors une méthode pour atteindre ce niveau de maîtrise ? Y a-t-il un chemin à suivre qu'il est possible de décrire avec suffisamment de précision pour ensuite être partagé largement ? La réponse est probablement négative et là pourrait s'arrêter cette recherche. Notre expérience nous montre plutôt que la variété des parcours est infinie. La voie est celle que chacun ouvre et qu'il suit. On ne choisit pas dès le début une route dont on connaîtrait les moindres détails et qui nous garantirait d'arriver à bon port. C'est notamment pour ces raisons que toute tentative de méthode serait dérisoire.

Cependant, sur ce chemin, il est possible de faire des rencontres avec d'autres qui proposent des voies à prendre pour la suite du périple et renseignent sur les pistes qu'ils ont eux-mêmes suivies. Il est également possible d'effectuer une partie du parcours en s'appuyant sur des outils et des pratiques éprouvées. Dans la vaste étendue à explorer, certains auront laissé des signes de leur passage ce qui pourra aider à se repérer sur une brève distance.

---

[2] Tiré de la postface d'*Inner Skiing* de Timothy Gallwey et Robert Kriegel, traduction de l'éditeur.

Ce sont quelques-uns de ces points de repère que cet ouvrage présente. Pas de méthode infaillible, mais des propositions d'*exercices-jalons* dont l'effet sera fonction de la sensibilité de chacun. Ils sont issus de la rencontre de neuf skieurs (au sens large du terme, c'est-à-dire pratiquant toutes les glisses de descente sur neige : ski, télémark, snowboard, monoski, skwal…). Individuellement, ils cherchaient à répondre à la même question : « Comment faciliter l'accès à cet état unique qu'ils ne rencontraient que sur leur engin de glisse et trouver une voie pour le transposer dans tout le reste de leur vie ? » De ses expériences diverses sur ce chemin est né un partage. Des tronçons similaires ont été identifiés. D'autres sont plus originaux. Tous étaient teintés de leur propre sensibilité, influencés par différents milieux et traditions, mais se retrouvaient et s'accordaient sur l'essentiel. Surtout, ces parcours se sont enrichis mutuellement, se complétant, permettant aux uns de poursuivre une autre partie du chemin, et à d'autres de construire des ponts entre différentes voies qu'ils tentaient de suivre en parallèle.

Durant ces échanges, il fallait pouvoir transmettre quelque chose qui relevait parfois de l'indescriptible et de l'incommunicable. Il s'est alors posé la question de la meilleure forme pour le communiquer. Le tutoiement de celui qui essaierait de guider l'autre avec bienveillance sur une nouvelle voie a donc été retenu presque comme une évidence. Préparer à l'écoute, conduire sur le chemin de l'attention, minimiser les instructions formelles et limitantes, puis tenter au moment clé de faire porter le regard sur l'essentiel, voilà ce qui constitue l'intention et la structure récurrente des exercices proposés. C'est cette forme d'échange qui était spontanément apparue sur les pistes, c'est donc aussi celle qui est ici reprise pour la description de chacun des exercices-jalons présentés. Assez tôt, formaliser par l'écrit ces étapes possibles était primordial pour progresser tant collectivement qu'individuellement. Chaque texte exposant l'essence d'une étape devenait comme une brique d'un grand jeu de construction. Il était alors imaginable de les réagencer entre elles. Cela permettait de situer tel ou tel élément par rapport aux autres, d'identifier par exemple lequel pouvait en précéder un autre ou y faire suite. En les réduisant à l'essentiel, il était aussi possible de reconnaître ceux qui se trouvaient être différentes faces ou perspectives d'une même étape et de les fusionner. Ainsi, cela aboutissait à un édifice s'agençant par paliers et présentant une certaine stabilité...

De cet effort originel, construit sur le terrain, dans la neige, il n'y avait alors plus que quelques pas à faire pour l'offrir à la publication. Il était nécessaire d'accompagner chaque exercice d'une explication minimale pour aider le lecteur à mieux situer ce jalon dans un paysage plus large et lui fournir des pistes complémentaires pour passer de l'un à l'autre. Dans cette optique, un petit paragraphe explicatif commente chacun des exercices-jalons. Il a cependant été épargné au lecteur les longues discussions qui ont été requises pour aboutir à une synthèse concernant nombre d'entre eux. Il fallait également aller vers une organisation linéaire de ces matériaux qui pourrait être présentée dans les pages d'un livre et non plus uniquement de manière éparse sur la grande table ou les murs d'un chalet. L'objectif était de pouvoir offrir un ouvrage ouvert en ce qui concerne sa structure et sa forme, c'est-à-dire facilitant la transmission des exercices individuels et permettant l'accès en tout point, tout le temps. Dans cette optique, chaque jalon devait rester suffisamment concis, être un module élémentaire, simple d'accès et indépendant. Cela crée de multiples points d'entrée potentiels dans le texte. Une carte est donc présentée pour donner une vision d'ensemble de ces exercices[3]. À l'occasion de chacun d'eux, les références d'autres jalons seront également indiquées offrant ainsi la possibilité de poursuivre le chemin dans différentes directions. Ceci offre diverses manières d'explorer le cœur de ce livre. Le chemin étant propre à chacun, un parcours strict dans la progression de la recherche sur ce type de questions ne doit ni ne peut être imposé.

Au préalable, il est néanmoins opportun de réexaminer ce qui constitue les bases solides d'une réelle maîtrise du télémark. En premier lieu, en s'appuyant sur les apports des ouvrages précédemment cités, il s'agira de renforcer et développer la capacité d'attention spécifique qui est le substrat de la maîtrise. Ceci requiert en particulier de préparer le mental en mettant de côté les autres pensées, d'écouter le corps et d'aller à l'essentiel de ce qui constitue la mécanique du télémark. De là, le *flow*, cet état psychologique lors

[3] cf. annexes.

duquel nous sommes complètement absorbés dans la réalisation de l'action, dans l'expérience même, sera plus facilement accessible. Puis, il sera nécessaire de comprendre sa nature et les conditions qui le favorisent. Il faudra s'interroger sur ce qui dans la capacité à accéder au *flow* de manière plus aisée est effectivement une réponse à nos questions, une simple étape sur ce chemin ou une voie sans issue. Sur la base de ces fondations communes s'ouvriront alors de multiples routes vers la maîtrise du télémark et au-delà.

Comment lire les références aux exercices-jalons :

(n° 9) numéro identifiant l'exercice-jalon

(cf. 9) indique une référence à un exercice-jalon

(⇨9) indique une piste pour poursuivre le parcours plus avant grâce à un autre exercice-jalon

---

Les bases intérieures de la maîtrise du télémark

À LA RECHERCHE DE L'APTITUDE DU MAÎTRE : UNE CONCENTRATION DÉTENDUE ET SOUPLE ?

Dans *Inner Skiing*, Timothy Gallwey et Robert Kriegel concluent que la compétence de référence du maître est une « concentration détendue, décontractée, souple[4] ». Il s'agit d'être concentré, ce qui est essentiel pour descendre une piste de manière efficace, mais sans forcer cette concentration, sans créer de tension pour la maintenir. Chercher obstinément à se concentrer génère d'autres tensions physiques et mentales qui ne sont en fait qu'un objet de préoccupation, divertissant de la concentration visée. Une concentration détendue se caractérise par :

- un esprit qui n'a pas à faire d'effort pour conserver l'attention,
- un engagement, une absorption totale dans la tâche exécutée… Il n'y a pas de pensée l'analysant, mais plutôt une expérience pure de cette tâche.

Une telle concentration facilite l'apprentissage. Plus elle est dédiée et ouverte, plus l'image mentale du mouvement qui est enregistrée sera claire et riche. Or, la capacité à assimiler, reproduire et perfectionner le mouvement est justement fonction de cette banque

[4] « *Relaxed concentration* ».

d'images que nous constituons et qui servira de référence pour guider les gestes futurs.

Une concentration détendue, si elle est essentielle pour atteindre une forme d'excellence à ski, l'est aussi pour aller vers l'excellence dans tous types d'activités. Gallwey, Kriegel et Csíkszentmihályi (qui a introduit et théorisé la notion de *flow*) se rejoignent en affirmant que la qualité de nos expériences quotidiennes et donc de notre vie en général dépend de notre faculté d'être dans cet état de concentration. Ceci en fait l'aptitude clé du maître[5], et ce, au-delà du ski.

La concentration se développe aisément quand il y a un intérêt sensible pour l'activité considérée. Néanmoins, pour l'obtenir, quelles que soient les circonstances, sans la forcer, sans qu'elle devienne une tension en soi et de manière que son champ se centre uniquement sur le ski, il faut au préalable :

- mettre de côté la pensée, c'est-à-dire faire de la place à cette concentration et éliminer l'influence d'autres pensées ou objets périphériques,
- écouter le corps, en axant la concentration sur les principaux capteurs qui perçoivent la tâche en cours d'exécution,
- aller aux fondements de ce qu'est l'acte de skier, mécaniquement parlant, en l'épurant de toute déperdition d'énergie, de toutes croyances et théories sur la technique pour atteindre les forces fondamentales effectivement en action et perfectionner leurs effets.

Ces conditions constituent les bases pour accéder à un état d'expérience optimal, à un *flow*, qui soit dédié à l'essentiel de la pratique du télémark.

---

[5] « *The master skill* ».

Mettre de côté la pensée

La plupart du temps, notre pensée est animée de multiples remous : envies et projections qui nous tirent dans certaines directions, peurs face à la difficulté ou l'accident qui nous retiennent, divers sentiments liés à l'environnement et aux personnes avec lesquelles nous skions, réflexions sur d'autres activités que le télémark (travail, ai-je fermé la porte en partant ? etc.). On peut se croire totalement concentré sur sa descente à ski sans l'être réellement. L'on passe, par exemple, son temps à considérer des images de ce qu'on voudrait être à ski ou des mouvements que l'on présume être en train de faire sans pour autant les ressentir avec précision. Par ailleurs, l'attention sur l'exécution du télémark lui-même est rarement permanente et oscille régulièrement vers d'autres natures de pensées.

Alors que l'on part d'un état qui n'est pas vraiment concentré sur l'exécution du ski, comment atteindre une concentration totale qui soit à la fois relâchée, détendue et souple ? C'est une concentration complète sur le télémark mais sans effort qui est recherchée. Si elle doit être maintenue par l'effort, sa totalité risque d'en être affectée par un effet de loupe sur certains aspects. Dans ce cas, c'est la capacité de perception de l'expérience qui s'en trouverait réduite.

La première étape est donc de mettre de côté les pensées périphériques ou limitant l'attention. Puis, il s'agit de progressivement laisser place à une concentration ciblée sur la pure exécution du ski. Elle pourra ensuite devenir de plus en plus large et ouverte. Divers exercices peuvent être proposés pour accompagner ces étapes[6].

Arrêter la pensée par tous les moyens (nº 1)

La première marche possible dans le tri des pensées peut consister à tenter d'expulser ou de faire taire toutes celles qui sont périphériques en les remplaçant par un autre objet de préoccupation suffisamment récursif. Par exemple, descendre la piste en chantant une chanson ou s'imaginant être un animal donné va, tel un jeu, accaparer toute l'attention mentale. Lors de cet exercice, le skieur évoluera au rythme de la musique ou en mimant les mouvements de l'animal à travers ses skis. Ici, la masse des pensées habituelles à ski n'est que remplacée par d'autres pensées. C'est, néanmoins, l'occasion de mettre en évidence que ce qui se passe dans la tête influence directement l'attitude à ski et sa qualité.

D'une manière plus récurrente, ce type d'exercices peut aussi être employé pour purger rapidement diverses pensées. Il constitue alors une première étape permettant de niveler l'attention et de commencer à éveiller celle-ci sur le lien entre les pensées et le télémark.

Concentration ciblée (nº 2)

La deuxième marche est la mise en place d'une concentration ciblée sur l'exécution du ski. Cela ne couvrira en premier lieu qu'un seul paramètre. Les exercices peuvent alors être très variés. Telle ou telle situation peut être imaginée pour induire un mouvement ou une sensibilité spécifique à un point du corps (par exemple, imaginer avoir une lampe torche au niveau du ventre dont il faut diriger le faisceau). L'observation peut aussi être dédiée à la relation entre le ski et la pente (angulation, pression). In fine, le développement de l'attention à

---

[6] Cette approche est largement développée dans *Inner Skiing* de Timothy Gallwey et Robert Kriegel, où on pourra retrouver une description plus étendue d'une partie des exercices mentionnés ici.

l'effet de certains paramètres (position ou ressenti d'une partie du corps, regard porté à différentes distances, écoute du bruit des skis…) est un des principaux apports de ces exercices.

La concentration est alors ciblée sur l'exécution du ski ou ses conséquences et relativement libérée d'autres préoccupations. Elle demande cependant un effort constant et son périmètre est limité aux éléments volontairement écoutés.

Concentration ciblée et boucle de mesure (nº 3)

Ensuite, à l'étape précédente, s'ajoute la boucle de mesure. Le paramètre observé est alors évalué, noté en continu. Par exemple, s'il s'agit de la vitesse, il peut être demandé de la jauger entre 1 et 5. 1 correspond à une vitesse jugée lente et 5 à une allure excessive (⇨7 pour plusieurs exemples d'applications). Cette mesure doit être formulée à haute voix ou mentalement en permanence tout au long de la descente. Cela permet de maintenir la concentration sur l'objet évalué tout en focalisant l'esprit sur le fait de penser à l'apprécier continuellement. L'adjonction de la boucle de mesure doit aussi renforcer la capacité d'écoute consciente en mettant en avant les variations de situations, c'est-à-dire le passage d'une note à une autre. Cela va donc contribuer à entraîner cette sensibilité au paramètre donné qui deviendra ensuite de plus en plus naturellement intégrée à une écoute globale.

ÉCOUTER LE CORPS

Conscience générale du corps (nº 4)

Pour maîtriser le mouvement du corps, tout commence par le développement de la capacité d'écoute. Avant d'affiner son ressenti sur les skis à une certaine vitesse, par l'interface clé que sont les pieds, cette capacité d'attention au corps peut déjà être accrue d'une manière plus générale.

En premier lieu, un exercice simple mais exhaustif qui peut être mené en toutes circonstances est une revue de l'ensemble du corps (nº 4.1). Assis ou allongé, il s'agit de parcourir toutes les parties du corps. L'attention est portée sur chacune d'entre elles à tour de rôle. Pour chacune, on notera les sensations ressenties (contraction d'un muscle, chaleur…). Ainsi, on suivra un trajet prédéfini, par exemple de bas en haut, en s'arrêtant sur chacune d'elles quelques secondes. En fonction du temps disponible, le rythme de revue peut être plus ou moins rapide et la granularité des parties du corps considérées plus ou moins fine. Puis, une fois cette revue accomplie, il s'agit de revenir sur les principales zones qui sont en réaction ou en tension, pour observer comment ces perceptions évoluent. Lorsque le corps est appréhendé dans chacune de ses composantes, l'attention est ensuite étendue à sa totalité. La revue ne s'opère plus partie par partie, mais globalement telle une vague ou une onde qui permet de saisir le corps dans son intégralité.

D'une manière similaire, le cycle respiratoire peut également être le support d'une prise de conscience plus large du corps (nº 4.2). Le corps est alors parcouru en entier sur le rythme d'une respiration. La fin de l'inspiration, quand les poumons sont gonflés, emporte l'attention tout en haut de la tête. Puis, au moment de l'expiration, l'attention balaye tout le corps vers les pieds en passant par le dos. Pendant l'inspiration, tout le corps est examiné des pieds à la tête par l'avant, par le ventre. Tout comme dans l'exercice précédent, la revue du corps peut aussi être globalisée, et conduite sur un seul cycle respiratoire au lieu de plusieurs minutes. Elle devient à ce moment-là instantanée, grâce à une attention large et ouverte. Outre une revue du corps et de ses tensions, ceci permet également de développer une connaissance de son rythme respiratoire au repos.

Même si, antérieurement, l'attention était d'abord focalisée sur une partie spécifique du corps, il s'agit bien ici d'éveiller in fine une forme d'attention globale au corps. On passe en premier lieu par une revue de chaque point afin de couvrir l'ensemble du corps et d'affiner la granularité de la perception. Également, cela permet de se familiariser avec une diversité de signaux qu'envoie le corps. Savoir écouter largement en termes d'ampleur des zones et de spectre des signaux est un élément préparatoire pour une ouverture à une attention plus vaste.

Bien que les points d'interface soient limités entre le corps et la neige, car localisés à la surface du pied, il est essentiel de développer une faculté d'attention à la totalité du corps. Une attention étendue permettra de détecter instantanément toute forme de tension, de non-équilibre, tout frein s'exprimant dans d'autres parties du corps que le pied. Il est par ailleurs exigeant de maintenir une attention ciblée sur une longue durée. Osciller entre ce niveau d'attention sur le pied et une attention globale au corps crée une alternance salutaire entre repos et contraction de la capacité d'attention qui doit pouvoir respirer à l'instar de tout muscle.

À l'écoute du pied (nº 5)

À ski, le pied est l'interface principale de contact avec l'environnement extérieur, celle qui permet d'agir sur le ski. Il est donc essentiel d'être vigilant à toutes les informations qu'il véhicule. L'indication majeure qu'il capte est l'intensité de la pression sur ses différentes parties. Le skieur doit être capable de sentir où la pression s'exerce sur le dessous du pied. Est-ce à l'avant ou à l'arrière ? Est-ce à gauche ou à droite ? Est-ce au centre ? Puis, il doit pouvoir percevoir les variations de cette pression en un point donné. L'on doit également être en mesure de suivre le point de pression se décaler et tracer sa ligne sur le pied, et ce, quelle que soit la vitesse du déplacement de celui-ci.

Tout d'abord, assis, concentre-toi sur un pied (nº 5.1). Essaie de toucher le sol avec un seul point de celui-ci à la fois en allant de la pointe des orteils jusqu'à l'extrémité du talon. Parcours tout le pied, point par point, en tentant d'être le plus précis possible. Découvre ainsi chaque point de ton pied. Familiarise-toi avec la granularité et la sensibilité du réseau de capteurs de pression sur toute la surface de ton pied. En partant d'un point, déplace légèrement la pression vers l'avant et l'arrière, vers la gauche et la droite, en diagonale, afin de mieux cerner comment il s'insère dans la topologie globale. Ceci te permet de ressentir la manière dont il se connecte aux points adjacents dans la carte de ton pied. Ne cherche pas à retenir ou intellectualiser une carte mentale du pied, sois juste bien à l'écoute de chaque point de pression. La mémoire se remplira simplement à force de reparcourir consciemment ce réseau. Pense également à bien aller trouver les points extrêmes sur la tranche, l'arrière du pied ou les orteils.

Ensuite, debout, procède de même à la découverte de chaque point du pied (nº 5.2). Tout d'abord, sur un pied, en levant un peu l'autre et le ramenant au plus près de la jambe qui reste en appui, réalise le même exercice que précédemment. Le genou doit être bien fléchi. Ainsi, l'équilibre est plus facile à tenir (quitte à s'aider légèrement par une main appuyée sur un support) et l'attention peut être concentrée sur le pied et son contact avec le sol. Après avoir fait cet exercice sur chaque pied, pose tes deux pieds au sol côte à côte et poursuis-le. Note, en plus, dans ce cas, comment la pression suit un chemin continu d'un pied à l'autre, où la ligne de pression quitte un pied pour passer au second et comment se fait cette transition. Va de même, en fléchissant les genoux, chercher les points extrêmes à la limite de l'équilibre. Sonde aussi les emplacements où la pression te semble plus homogène et égale entre les deux pieds.

Maintenant, lors de la marche quotidienne, identifie finement où se font les contacts sur ton pied et comment la pression évolue à chaque pas (nº 5.3). Considère d'abord un seul pied sur plusieurs pas, puis l'autre. Note les différences et similitudes entre les deux. Examine ensuite les transitions entre les pieds. Pendant la marche, constate qu'un ajustement infime du positionnement du genou, voire d'autres parties du corps, déforme la localisation de ces points de pression sur le pied. Être simplement vigilant dans la durée à chacun des points de pression permet d'influencer l'ensemble de la démarche.

Il en sera de même sur la piste. Tout d'abord, en skiant, concentre-toi sur un seul pied et note où la pression s'exerce, en ligne droite, lors de différents types de virages, dans les arrêts, au moment des variations de terrain (nº 5.4). L'écoute doit être apprise, pied par pied, en y consacrant du temps. Puis, l'attention doit être amenée vers une écoute globale qui prend en compte les deux pieds (nº 5.5). On pourra observer comment la pression sur le sol passe d'un pied sur l'autre et quelle ligne elle suit entre les deux pieds. Si la multiplication de ces observations peut sembler fastidieuse, elle n'en est pas moins essentielle, car c'est elle qui va commencer à forger le sens primordial de l'écoute.

Le pied comme une main (nº 6)

Le pied est la seule partie du corps en contact avec le sol pendant la marche. De même, il fait le lien avec le ski et la piste lors de la descente. Il est l'interface première de ces activités de déplacement. Il doit donc être résolument pensé comme tel. Il doit acquérir les mêmes qualités que la main dans d'autres actions quotidiennes. Au-delà d'une attention accrue vis-à-vis du pied développée par l'écoute (cf. 5), il doit maintenant apprendre à saisir, serrer, caresser, effleurer, frôler… Voici quelques propositions d'exercices pour faire grandir cette sensibilité.

Au repos, assis ou debout, porte ton attention sur chaque point de chaque pied (n° 6.1). Note la sensation ressentie en chaque endroit. Scanne intégralement chacun de tes pieds. Identifie toutes les tensions, observe-les. Reporte ensuite ton attention sur les principaux points de tensions détectés. Fais alors varier la pression appliquée autour de chacun de ces points et regarde simplement ces tensions se dénouer progressivement.

Choisis une petite pierre polie ou une bille. Pose-la sous ton pied (n° 6.2). Avec chacun de tes orteils, caresse et *manipule* cette pierre. Ensuite, passe sur elle avec chacun des points de ton pied. Effectue cet exercice en ne cherchant qu'à effleurer la pierre. Puis, répète-le, cette fois en essayant d'appuyer le plus possible sur celle-ci. Parcours l'ensemble des pieds avec la pierre.

En marchant, imagine que tes pieds sont semblables à des mains (n° 6.3), que tu peux saisir la terre sur laquelle tu avances. Tu peux, à chaque pas, t'y accrocher et te tirer vers l'avant comme si avec tes seules mains tu escaladais un mur. Tu peux aussi simplement rechercher un contact léger avec le sol, tel que tu le ferais si tu caressais celui-ci de tes mains. Ou alors, tu peux tendre vers la plus grande surface de contact, de la même manière que si tu tenais un objet fragile le plus fermement possible ou si tu souhaitais faire tourner la Terre comme une boule sous tes pieds.

Les précédents exercices ont vocation à éveiller une écoute attentive et subtile du pied, à en faire un organe de perception véritable lorsque tu es sur les skis. La simple écoute du pied à ski (cf. 5) peut être prolongée par des expériences dans lesquelles le pied est *actif* vis-à-vis de la neige. Tel que tu le faisais en marchant, imagine que ton pied ne doit que caresser la neige ou au contraire s'accrocher à celle-ci à chaque mouvement (n° 6.4). Note alors comment la dynamique des points de contact entre ton pied et la neige évolue et l'influence que cela a sur ton ski.

Le pied et le ski (nº 7)

Dans la marche, à l'épaisseur près de la chaussure, le sol et ses aspérités sont ressentis. Alors qu'à ski, la perception de *l'élément neige* n'est pas directe. Elle se fait par l'interface du ski et d'une fixation. Elle est de plus *glissée*, c'est un frottement continu.

Si le pied est bien en contact avec la semelle de la chaussure, le dispositif ski-chaussure ne permet pas de sentir le contact avec la surface de neige plane se trouvant en dessous. Cependant, il donne accès indirectement, entre autres :

- Au positionnement relatif du ski par rapport à la neige : Le ski est-il à plat ou plus ou moins sur la carre, voire sur la tranche pour certains engins ?
- Au niveau d'accroche du ski : La carre coupe-t-elle la neige ou dérape-t-elle ? Si oui, avec quelle fluidité ?
- À la dynamique de la déformation du ski : Se déforme-t-il ? Comment résiste-t-il à la déformation ? Avec quelle force retourne-t-il vers sa forme initiale ?

Le *glissé* peut également être ressenti par le pied. Si la neige ne passe pas directement sous la peau du pied, les vibrations de la semelle du ski liées aux frottements sont transmises. Elles sont avant tout perçues physiquement. Ces vibrations génèrent aussi des sons, signaux connexes qui peuvent être captés par l'oreille.

Bien que le pied ne puisse accéder à un contact immédiat avec la neige, il peut néanmoins être à l'écoute de tout ce que le ski lui communique : position, accroche, dynamique du ski, vibrations... *Être à l'écoute* ne signifie pas influer sur le pied ou le ski, juste porter une attention ouverte sur lui. Pour ce faire, énoncer à haute voix ou mentalement le ressenti permet de se concentrer dans la durée et également de bien se placer dans une attitude d'écoute (cf. 3). L'objet premier est de développer l'attention, la capacité à capter ces paramètres. Plus tard, ils seront naturellement exploités.

Tu peux donc réaliser des exercices dédiés à l'écoute de chacun de ces points :

- Prise de carre (nº 7.1) :
  - Porte ton attention sur l'angulation d'un seul ski uniquement.
  - Évalue simplement, à tout instant, quel est l'angle du ski par rapport à la neige. Ceci peut, par exemple, se faire en affectant un chiffre de 0 à 9 à ce ressenti, en correspondance avec les dizaines de degrés : 0 - 0°, 1 - 10°… 9 - 90°.
  - En te concentrant sur ton pied, énonce les chiffres correspondants.
  - Cet exercice est à pratiquer aussi bien lors de la descente qu'en statique, à l'arrêt.

- Accroche du ski (nº 7.2) :
  - Porte ton attention sur un de tes pieds.
  - Caractérise le niveau d'accroche du ski et son évolution : Est-il complètement pris dans un rail ? Déforme-t-il ce rail de neige ? Sort-il de ce rail avec plus ou moins de frottements ou d'à-coups ? Glisse-t-il latéralement de manière régulière ? Là aussi, une échelle peut être formalisée entre une accroche totale et un dérapage lisse et glissé (par exemple de 0 à 9). Des qualificatifs peuvent également être employés pour décrire le ressenti (« accroche », « glisse », « frotte légèrement »).
  - En te concentrant sur le pied, énonce les chiffres correspondant à ta perception de l'accroche.
  - Cet exercice est à pratiquer en semi-statique, c'est-à-dire en partant de l'arrêt et en réalisant différents longs dérapages sur une pente, ainsi qu'en dynamique, lors d'une descente.

- Dynamique du ski (nº 7.3) :
  - De même, pour la dynamique de l'engin de glisse, tu pourras conduire des travaux d'attention similaires, en te focalisant sur le pied et en formulant à chaque instant la situation du ressenti.

  - Les paramètres à écouter sont multiples et dépendent également des skis :
    - La flexion du ski peut être sentie grâce à la force exercée sur l'avant de la chaussure. (Appuie-t-on fort (10) ? Légèrement (5) ? Pas du tout (0) ?)
    - La manière dont le ski restitue l'énergie en retour peut aussi être perçue par ce biais.
  - Dans le cas du télémark, seul l'avant du pied est en contact permanent avec le ski et la géométrie du système pied-ski est en constante évolution. La flexion du couple chaussure-fixation introduit un degré de liberté supplémentaire. C'est aussi un paramètre qui peut être observé de manière isolée dans le sens où il possède ses propres éléments de positionnement et de dynamique.

- Son et glisse (n° 7.4) :
  - L'exercice sur l'accroche (cf. 7.2) peut être reproduit de la même manière, en changeant le capteur. Plutôt que de se concentrer sur la mesure de mouvements et vibrations, l'attention peut être portée sur le son produit.
  - Le son perçu peut être qualifié en fonction de son intensité. Cette échelle est, par exemple, facile à distinguer sur un dérapage latéral. Lorsque l'on connaît bien la géométrie du ski, il est aussi possible de se focaliser sur une source particulière de son : vibration de spatule, dérapage de l'arrière ou de l'avant de l'engin… Sur une pente lisse, l'attention pourra même être portée spécifiquement sur la glisse de la semelle.
  - Cet exercice permet de s'entraîner à percevoir un maximum d'informations. Il s'agit néanmoins d'un capteur indirect qui peut être brouillé, notamment à forte vitesse et en cas de vent. Cela ne peut donc rester qu'un outil secondaire, qui apporte parfois un renseignement complémentaire au toucher du pied.

Principes élémentaires de la mécanique du ski

Une seule force à l'œuvre : la gravité

Toute la technique associée à la pratique du ski vise à guider les skis sur la neige avec un souci d'efficacité maximale. Donc, elle devrait pouvoir être entièrement dérivée de la mécanique élémentaire qui gouverne les interactions skis-neige. Les fondements de cette mécanique sont simples. La principale force en jeu est la gravité qui va notamment nous emmener vers le bas de la pente. La loi d'action-réaction, quant à elle, régit l'influence du ski sur la neige[7]. Enfin, l'efficacité du procédé sera à évaluer par l'énergie consommée, c'est-à-dire pour le skieur par la fourniture du moindre effort pour l'exécution du mouvement le plus efficient.

Comment cela se traduit-il sur le plan de la technique praticable par le skieur ? Quelles *règles* d'action en retirer ? Concernant la gravité, il suffit de la laisser faire. Il n'y a qu'à apprécier où et comment elle s'applique afin de la guider au bon endroit. Le moindre effort est également facile à mesurer dans les tensions instantanées, en bas de

---

[7] Loi d'action-réaction ou principe des actions réciproques ou 3e loi de Newton : « Tout corps A exerçant une force sur un corps B subit une force d'égale intensité, de même direction mais de sens opposé, exercée par le corps B. »

piste et ô combien en fin de journée dans l'ensemble des muscles. Émerge alors une approche du ski bien différente de celle qui consiste à employer des recettes, des procédures de mouvements portant sur chaque partie du corps et visant à obtenir un résultat donné. Si l'on revient aux fondamentaux de la mécanique, l'attention au point où la gravité s'exerce et la simple influence sur ce point priment et sont la base de toute la pratique du télémark.

C'est au niveau du pied, seul point de contact entre le corps et les skis que la manière dont la gravité intervient sur eux peut être perçue. Est-elle en train de s'appliquer sur le talon et donc à l'arrière du ski ? Ou la pression se fait-elle sentir à proximité des orteils, c'est-à-dire sur l'avant du ski ? Ou alors, est-elle parfaitement centrée ?

Il ne s'agit pas ici d'offrir un cours de mécanique ni de rentrer dans le détail des méthodes de télémark. Ce qu'il est important de souligner, c'est qu'au sein du corpus technique qui donne de multiples instructions et recettes, il faut déjà revenir à l'essentiel de la mécanique. Si l'on doit donc être à l'écoute de quelque chose, c'est de ces éléments de base : le centre de gravité et sa projection sur les pieds. Et tout cela doit se faire le plus directement possible, c'est-à-dire avec le moindre effort (sans fioritures, sans pollution physique, mentale ou autre).

Thias Balmain a documenté une telle vision dans *La Glisse intérieure*. Cet ouvrage propose une approche applicable à toutes les glisses. Les cas du ski, du snowboard et du skwal y sont spécifiquement développés. Il part en premier lieu des mécanismes de base de la glisse. Puis, il étudie le centrage et met en relation les mouvements autour du centre de gravité et la projection de l'effet de celle-ci sur les pieds.

Centrage (nº 8)

La principale force agissante étant la gravité, il est nécessaire de placer son point d'action, le centre de gravité, au centre du mouvement. Dans le cas contraire, on s'expose à être le jouet de cette force fondamentale et la pratique du télémark n'est plus qu'un ensemble de manœuvres qui viennent compenser ou rattraper son impact sur le corps. Si le centre de gravité est bien au cœur du mouvement, les seuls efforts que le skieur ait besoin de déployer se limitent à faire porter l'effet de la gravité en un point précis des skis. Son intervention est alors minimale et se résume à canaliser l'influence d'une autre force bien plus efficiente.

Comment pratiquement opérer ce centrage ? En partant du haut du corps, il s'agit de s'assurer que tête, épaules et torse sont alignés avec le centre de gravité qui lui se situe dans le bassin environ au niveau du sommet des hanches. Le ventre doit être posé dans le bassin. Ensuite, la projection du centre de gravité bien au milieu des pieds est permise par le correct fléchissement des chevilles, genoux et hanches. La finesse dans la perception des pieds acquise précédemment (cf. 5, 6, 7) garantit que l'effet de cette force est toujours pleinement transmis aux pieds et aux skis au point optimal.

La notion de centrage s'étend aussi sur les plans psychologique et émotionnel. Si nous sommes tendus vers un but à atteindre qui se situe au-delà de nos skis et de notre centre de gravité, notre corps va de la même manière s'orienter sur cet axe. Il va s'étirer et se tourner vers ce point, déplaçant en conséquence notre centre de gravité en avant hors de notre corps ce qui influe d'autant sur le ski. Il en est également de même si l'on craint une descente, qu'on la repousse et se place sur l'arrière des skis. Ce qui est valable en termes d'attention au centrage physique se retrouvera aussi sur ces autres plans. L'écoute des émotions permet une réponse adaptée, sans se laisser tirer loin de son centre.

Mouvements en 8 (nº 9)

L'élément le plus emblématique de l'approche proposée dans *La Glisse intérieure* est le mouvement en 8.

Pour conduire un virage *carvé*, il faut projeter le poids latéralement sur la carre d'abord à l'avant du ski, puis tout en restant sur cette carre, progressivement déplacer ce poids vers l'arrière.

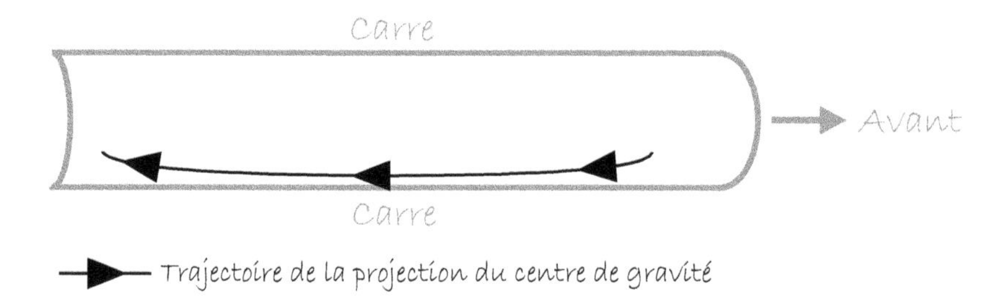

Pour aller vers le virage suivant, la projection du centre de gravité est portée sur la carre opposée, à l'avant du ski. À cette occasion, le centre de gravité passe par-dessus le centre des skis.

La trajectoire de la projection du poids sous les pieds prend ainsi la forme d'un 8.

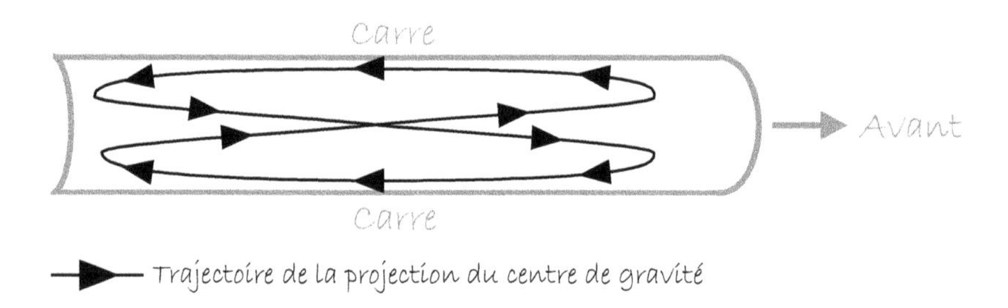

Durant cette transition, le contact avec la neige doit être maintenu. Dans le cas contraire, le relâchement de la pression sur les skis engendrerait une sorte de mini-saut au lieu de conduire les skis dans leur mouvement naturel de rotation sur la neige. Cela implique de conserver un contact permanent sur le pied, lors du déplacement du poids sur leurs côtés.

Le mouvement en 8 latéral est également combiné avec un mouvement vertical similaire. Le centre de gravité suit lui aussi une trajectoire en 8 dans le plan vertical. Cette démarche facilite le transfert du poids de l'avant à l'arrière et vice-versa. On produit alors un double mouvement en 8 synchronisé.

Skis parallèles ou skis alpins

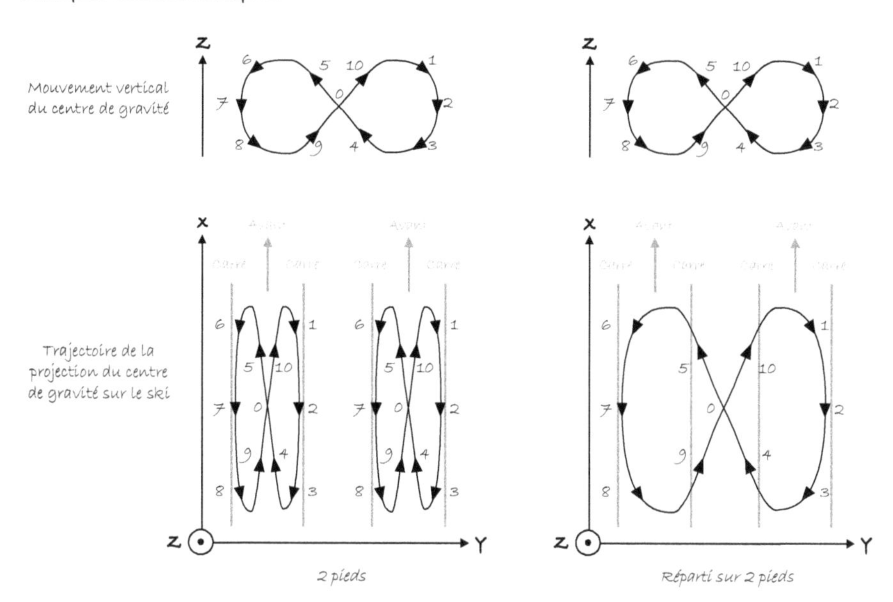

Ce mouvement peut être transposé au virage télémark. La trajectoire de la projection du centre de gravité sur les skis s'étend cependant sur une surface de contact entre les pieds et les skis qui se déforme au cours du cycle. En effet, le pied arrière se levant, seul l'avant de celui-ci reste en contact avec le ski.

Tout le travail préliminaire sur l'attention aux perceptions du corps (cf. 4) et en particulier sur le pied (cf. 5, 6) permet de préparer la sensibilité à ce mouvement essentiel.

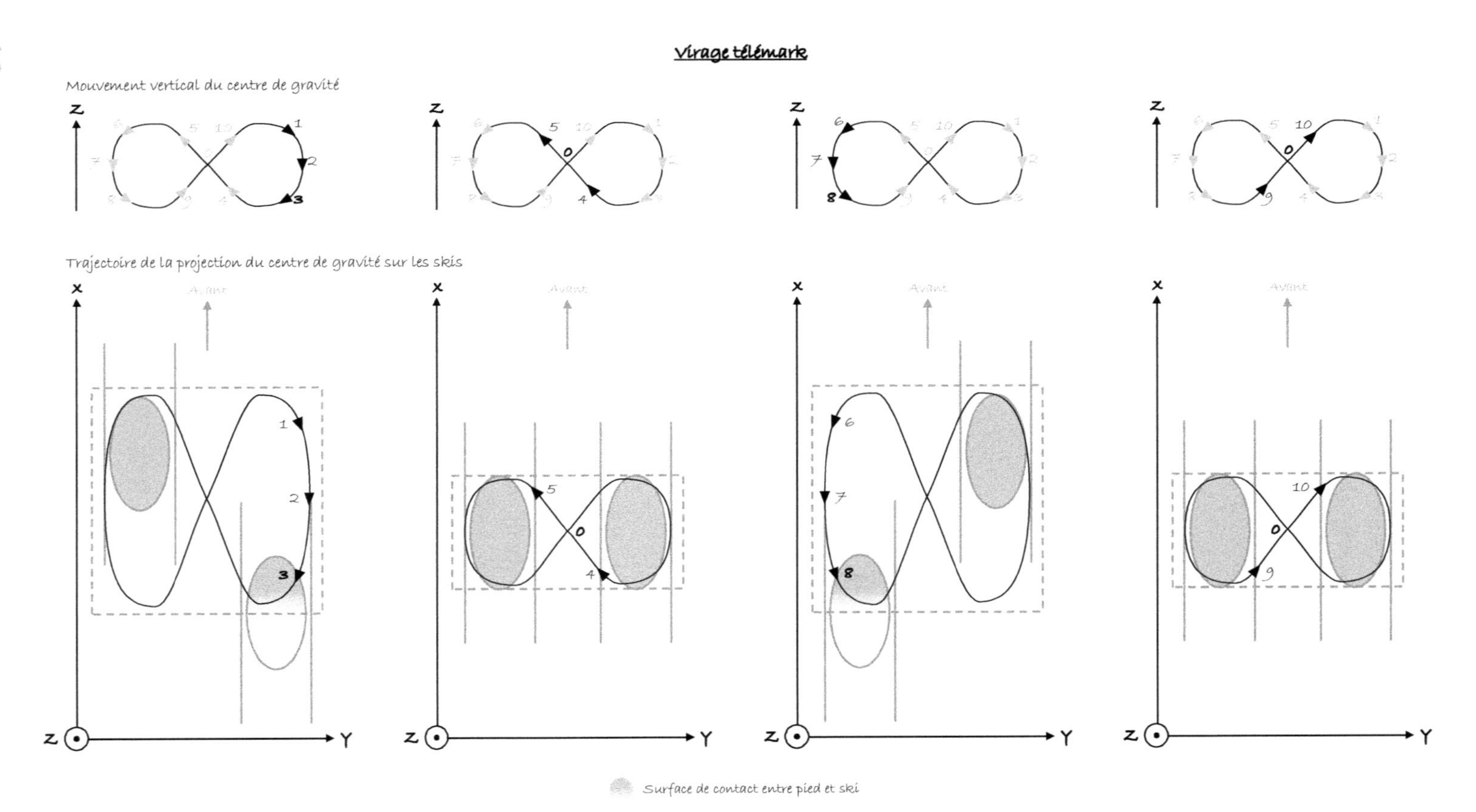
Virage télémark
Mouvement vertical du centre de gravité
Trajectoire de la projection du centre de gravité sur les skis
Avant
X
Y
Z
Surface de contact entre pied et ski

Katas et formes de base (nº 10)

Thias Balmain synthétise l'ensemble de son approche sous la forme d'une série de séquences de mouvements élémentaires visant principalement à mettre le skieur dans une relation consciente avec son corps et l'environnement naturel qui l'entoure. Ces *katas* de base, ainsi dénommés en référence aux arts martiaux orientaux, se focalisent notamment sur l'attention aux nœuds clés dans lesquels on perçoit la projection des forces fondamentales (le pied, le centre de gravité…) et leur trajectoire. Ils s'appliquent également à la pratique du télémark.

Les katas du ski (issus de *La Glisse intérieure* de Thias Balmain)
Kata 1 : Le centrage
Kata 2 : Les mouvements avant/arrière
Kata 3 : Les mouvements latéraux ou mise sur la carre
Kata 4 : Le mouvement en huit des pieds
Kata 5 : Le mouvement en huit du centre de gravité
Kata 6 : La synchronisation des deux mouvements en huit
Kata 7 : Le jeu de main vertical
Kata 8 : La flexion/déploiement en pente forte

Les *katas* sont des schémas de mouvement prédéterminés qui permettent de transmettre une technique. Ils ne sont pas une recette ou une procédure, mais un principe même d'une certaine pratique du ski, d'où leur nombre limité. Au-delà du plan technique, ils sont également un outil de formation du corps et de l'esprit. Dans le cadre de notre approche, nous désignerons les mouvements fondamentaux au cœur de ces katas par le terme plus générique de *formes*. La forme est le mouvement premier, la dynamique. Ce terme n'est, par ailleurs, pas relié à une tradition particulière.

Cet outil de base qu'est la forme va pouvoir être un objet de référence sur lequel maintenir la concentration (⇨19). Il sera progressivement poli (⇨20) et observé (⇨21), voire pourra devenir une marche pour aller bien au-delà de la mécanique du ski (⇨22, 23, 24).

Le flow

Flow et télémark

La faculté de mobiliser une concentration totale mais détendue, qui est d'ailleurs optimale pour l'apprentissage, est essentielle pour atteindre une forme d'excellence à ski ou dans tous types d'activités. Les auteurs de *Inner Skiing*, ouvrage de référence sur la psychologie du ski, la désignent comme étant « la compétence du maître ». Mihály Csíkszentmihályi, qui a théorisé la notion de *flow,* se joint à eux en affirmant que la qualité de nos expériences quotidiennes et donc de notre vie en général dépend de notre capacité à être dans un tel état.

Le flow est un état psychologique lors duquel nous sommes totalement absorbés dans la réalisation de l'action mentale ou physique, dans l'expérience même. Pour décrire cet état dans le contexte du télémark, reprenons les propres mots de Csíkszentmihályi : « Imaginez, par exemple, que vous descendez une piste et votre attention est entièrement focalisée sur le mouvement du corps, la position des skis, l'air qui fouette votre visage et les arbres habillés de neige qui défilent. Il n'y a aucune place dans votre conscience pour les conflits ou les contradictions ; vous savez que toute pensée ou émotion qui s'immiscerait pourrait vous envoyer la tête la première dans la neige. Et qui voudrait être déconcentré, distrait ? La descente est tellement parfaite que la seule chose que vous souhaitez est qu'elle dure pour toujours, vous immerger complètement dans cette expérience[8]. »

Nous avons tous expérimenté cet état à ski et en avons reconnu la valeur. Néanmoins, nous ne pouvons que constater qu'il n'est pas accessible au même degré à tout instant, dans toutes les situations. Nous ne pouvons alors que regretter la difficulté à le maintenir et l'emporter hors de la descente dans d'autres activités. Comprendre comment atteindre cette disposition à volonté en skiant et comment le porter au-delà du télémark est une des interrogations centrales guidant cet ouvrage. Des exercices conduisant à poser les conditions minimales qui favorisent le flow ont déjà été évoqués. Pour aller plus avant, il faut, maintenant, mieux définir cet état de flow et connaître les circonstances qui permettent de le développer.

Qu'est-ce que le flow ?

Le terme de *flow* utilisé pour désigner l'expérience d'un état psychologique particulier est avant tout une métaphore. Il évoque la sensation d'être dans le flux ou le courant. Ceux qui sont dans cette situation décrivent ainsi une action sans effort dans les moments où ils se sentent au sommet de leur compétence ou à l'aise dans la réalisation d'une quelconque entreprise. On parle aussi souvent pour les sportifs *d'être dans la zone.*

Le flow est donc un état mental ; c'est lorsqu'on est complètement plongé dans une activité avec un maximum de concentration. L'engagement dans la réalisation de cette action est total et il est également retiré une satisfaction immédiate du bon accomplissement de cette activité. Toute l'énergie est focalisée dans l'expérience de l'activité, et ce, en concordance avec l'intérêt de l'individu. Même les émotions sont employées au service de la réalisation de cette activité, à son apprentissage. Cet alignement entre l'effort déployé et l'intérêt pour l'activité est aussitôt identifiable lors

[8] Extrait de *Finding Flow*, traduction de l'éditeur.

de la conduite de celle-ci. D'où une sensation de joie spontanée qui peut en découler.
L'expérience de flow se caractérise, entre autres, par :

- une concentration intense et focalisée sur l'activité en cours d'exécution, avec notamment une boucle de rétroaction instantanée qui est à l'œuvre (tous les obstacles ou succès rencontrés sont immédiatement intégrés et pris en compte dans la poursuite de l'activité),
- le fait que la réalisation de l'activité, par elle-même, apporte une satisfaction, c'est sa dimension autotélique (l'alignement entre l'intérêt et l'activité est complet, cet intérêt peut être tel que tout autre besoin ou objectif apparaît alors comme insignifiant),
- une grande assurance quant au contrôle de l'activité, un sentiment de domination de la situation, de réussite ou de puissance,
- une atténuation de la distance entre le sujet et l'objet de l'action, pouvant aller jusqu'à la dissolution de la conscience de soi,
- des déformations de la perception du temps.

Les points cités ci-dessus sont généralement admis comme les caractéristiques les plus emblématiques d'une expérience de flow. Et ce, même si toutes ne sont pas nécessairement présentes de manière concomitante ou ne sont qu'un effet induit de ces traits les plus fondamentaux.

Quelles conditions favorisent le flow ?

Quelles sont alors les situations les plus propices à l'état de flow ? Peut-on identifier des conditions le favorisant ? Le ski est souvent cité comme un exemple emblématique parmi les expériences de flow[9]. Ce n'est donc pas un hasard si notre questionnement part de là. Quelles peuvent être les caractéristiques communes avec d'autres activités ?

L'état de flow apparaîtrait lorsque l'individu est face à une problématique à résoudre, à traiter, où les objectifs immédiats sont très clairs et qui demande une réponse constante et instantanée. Ceci

---

[9] Cf. citation de Csíkszentmihályi lui-même en introduction de cette partie sur le flow.

est le cas d'une descente à ski. Dans cette activité physique, du fait de la gravité imposant la descente de la piste, une réaction est en permanence requise et le point à atteindre comme les conditions de succès sont assez évidents. Certes, le but variera dans ses subtilités en fonction de la personne, de la descente (loisir, slalom, *freeride*…), de la qualité de la neige… Mais l'objectif immédiat de rester debout sur ses skis en en gardant le contrôle se retrouve dans chaque moment de ces descentes.

Plus précisément, pour que soient reliées la situation et la nécessité de réaction, il doit y avoir un retour instantané quant à la pertinence des actions. L'individu doit pouvoir percevoir sur-le-champ si ses actions sont correctes, c'est-à-dire alignées avec la réussite de l'entreprise. C'est clairement le cas du ski également. La faute de carre ou le déséquilibre se paieront aussitôt par une perte de contrôle évidente, voire par une chute. La réaction immédiatement nécessaire, en lien avec un objectif de l'instant, peut mobiliser l'ensemble des ressources psychiques au point de focaliser la concentration exclusivement sur l'activité en cours d'exécution. Il n'y a alors plus de place pour d'autres considérations, pensées ou émotions. Toutes les capacités sont investies dans ce processus.

Ceci pose des questions sur cet *objectif de l'instant*, sur *l'intention* de l'activité. L'action doit avoir le pouvoir de conserver l'attention totalement dédiée à sa réalisation pendant un laps de temps significatif. Si ce n'était pas le cas, elle serait écartée par de nouveaux mouvements de pensée. Pour être réellement exclusive et maintenir cette boucle de concentration sur elle-même, elle doit apporter une satisfaction claire. Un contentement indirect en vue de l'atteinte d'un objectif plus global pourrait au contraire divertir l'attention de la tâche élémentaire en cours. Cette activité doit donc être autotélique, c'est-à-dire que sa seule réalisation doit générer une satisfaction.

Csíkszentmihályi définit le flow comme l'état dans lequel l'individu est amené à mobiliser des compétences de haut niveau face à ce qui est perçu comme une situation suffisamment complexe. C'est-à-dire lorsque le degré d'aptitude requis est élevé et le défi est également significatif (*high skills, high challenges*). Une activité dans laquelle le niveau de défi serait élevé et les aptitudes requises faibles serait plutôt une situation d'anxiété. Des conditions où le degré de défi est plus réduit quoique mobilisant encore des compétences significatives ne nécessitent pas un plein engagement psychique. L'on pourra y apprécier le contrôle de la situation, peut-être même se sentir dans un état de relaxation. Si le niveau d'aptitude requis diminue à nouveau, on sombrera alors dans l'ennui voire l'apathie.

La *concentration détendue, décontractée, souple* évoquée précédemment comme étant *la compétence du maître*, se révèle être l'antichambre ou la base de l'état de flow. C'est une concentration pure, sans interférence d'autres préoccupations, dédiée à l'activité. Cette condition intérieure peut effectivement constituer un point d'entrée ou un marchepied pour l'état de flow. Celui-ci émergera naturellement quand le niveau d'exigence de la situation sera suffisant pour totalement canaliser cette concentration.

Le flow est-il vraiment l'expérience ultime ?

Une partie de la littérature va jusqu'à ériger le flow en tant qu'expérience ultime dans le sens où il devient le critère de référence pour apprécier la qualité même d'une vie. Selon Csíkszentmihályi, « c'est l'implication dans le flow plutôt que le bonheur qui fait l'excellence, la supériorité d'une vie ». D'ailleurs, le flow lui-même ne laisse pas le temps de ressentir le bonheur, il est en général perçu a posteriori comme un signe de satisfaction d'avoir atteint ce moment. Le bonheur peut aussi être vécu hors de toute situation de flow, en dehors de toute activité productive. Dans cette perspective, la qualité de l'expérience est mise en équivalence de la qualité même de la vie. En effet, « l'expérience est la principale activité de notre vie et donc la qualité de notre vie dépend de la qualité de l'expérience ; la qualité de cette dernière dépendant de notre état d'esprit et du niveau de concentration » selon Gallwey & Kriegel. Une vie emplie d'activités de flow complexes vaudrait alors plus le coût d'être vécue qu'une vie de loisirs passifs… Si cet ouvrage pose la question de reproduire cet état plus fréquemment dans le télémark et au-delà du télémark, c'est qu'il partage implicitement cette assertion, a minima comme hypothèse.

Cependant, qu'est-ce qui donnerait à l'intention qui guide l'instant de flow et en constitue la référence pour l'évaluation permanente de sa réussite plus de valeur que toute autre activité hors de cet état ? Ces activités pourraient d'ailleurs apporter bien plus de bénéfices personnels (gagner sa vie, apprendre…) et collectifs (soigner des gens, aider la collectivité…). Même si de telles considérations sont bien sûr reliées à une échelle de valeurs, qu'est-ce qui peut placer l'objectif immédiat d'une action aussi élémentaire au-dessus de tout le reste ?

Positionner l'état de flow lié à une activité comme le but du voyage satisfait l'autotélisme de sa définition. Cependant, il y a une intention sous-jacente à cette activité, une intention qui l'a produite. Reconnaître les qualités du flow conduit à reconsidérer toutes les structures d'objectifs de plus grande ampleur pour se tourner vers l'expérience présente et ses conditions intérieures. Il n'en reste pas moins que quelque chose a amené à cette activité. L'intention de l'instant n'émerge pas de nulle part, sans rien à voir avec quoi que ce soit d'autre…[10]

Sur un plan plus pratique, et en particulier dans le contexte du sport, le flow est bien souvent mis en avant, car étant la situation favorisant la performance maximale. Il est certes une bonne chose quant à l'accomplissement d'une activité donnée, mais peut aussi s'avérer être un palier de confort piégeant. On peut effectivement s'installer dans la joie d'en jouir ou le rechercher à tout prix sans saisir les fondamentaux de l'expérience qu'il convoque. Être dans le flow, c'est être également dans une forme de tunnel. Il faut pouvoir le reconnaître, l'utiliser en tant qu'état optimal pour certaines situations, sans pour autant céder à une *drogue du flow* ou ses effets induits.

En prenant une perspective plus large et considérant l'ensemble des intentions élémentaires, l'on est contraint de constater que cet état ne répond in fine qu'à une ligne de pensée plus forte que les autres. Sa principale qualité est d'être totale en ce qui concerne la mobilisation des compétences. La plupart des caractéristiques qui décrivent le flow sont d'ailleurs des effets induits du fait d'être dans une seule ligne de pensée. Ceci contraste particulièrement avec la situation la plus fréquente de l'état intérieur. En effet, la référence habituelle du mental est une collision plus ou moins vive entre diverses lignes de pensées. C'est cet état qui sculpte notre perception du temps (rythme

[10] À noter que ce sujet est bien perçu par Csíkszentmihályi, qui y propose une réponse dans l'adoption d'une vision évolutionnaire.

de la succession des pensées). Il conditionne également notre perception de l'ego (discours intérieur), ainsi que notre conception du bonheur et du bien-être mental (être ou non tenaillé entre l'accomplissement de différentes pensées ou émotions). Dans le flow, la concentration est dédiée à une seule intention, à l'exécution d'une pensée élémentaire unique ; alors, toutes les autres composantes sont atténuées entraînant une déformation de la perception ordinaire du temps, une altération de la conscience de soi, une variété de sentiments de joie, d'assurance, de puissance… Si l'on veut le favoriser à sa source même, ne peut-on pas travailler à obtenir une vision d'ensemble des intentions et lignes de pensées et agir sur elles ?

Et comment ne pas être emprisonné dans le flow ? En effet, si le flow opère une libération d'un certain chaos mental en dédiant toute l'énergie de concentration à une seule intention, il est aussi de fait un emprisonnement dans celle-ci. Dans le flow, certains décrivent l'impression de voler au-dessus de soi, d'être hors de soi, de se regarder exécuter l'action. En s'en extasiant, cela renforce le flow. Or, celui qui garde une distance émotionnelle par rapport au flow, qui est détaché de l'expérience du flow et de sa fascination, va l'observer sereinement, de son émergence à son atténuation, sans se faire piéger dedans. Une telle affirmation peut sembler contraire à la définition même du flow. En effet, une des principales caractéristiques de celui-ci est justement de mobiliser toutes les capacités d'analyse ou émotionnelles au profit d'une unique activité. Il s'agit plutôt ici de souligner que cet état, tout en se déployant et enrôlant l'ensemble des capacités, peut aussi être vu dans le schéma plus intégral dans lequel il intervient. Un état de flow est une perle dans un collier. Même si l'on est pris dans l'observation d'une seule perle à un moment donné, le fil qui la traverse peut rester visible et, dans tous les cas, il continue à soutenir la perle. Le piège du flow est de n'admirer que la perle en ne percevant pas le ou les fils qui vont former la structure du collier, faire le lien entre les perles…

Quelques limites du flow

Adopter cette perspective plus large par rapport au flow conduit à en relativiser les effets induits (altération de la perception du temps, du rapport au soi, des sentiments positifs qui y font suite…).

Parmi les caractéristiques induites du flow, l'altération de la perception du temps est une des plus emblématiques. La concentration sur l'action présente est si totale qu'on ne voit plus le temps passer. On ne le sent effectivement plus s'écouler, car on est exclusivement focalisé sur le traitement de l'information de l'activité en cours. Aucun autre cycle de pensée ne vient interrompre cette activité comme dans la vie courante, ce qui concourt habituellement à rendre sensible notre notion du temps. Ici, il n'y a alors plus qu'une pensée continue dans laquelle on rentre à un instant et d'où l'on ressortira ultérieurement. Sans avoir pu dénombrer de changements intermédiaires, l'on ne comprend de fait pas où le temps est passé. C'est exclusivement la capacité à le percevoir qui est altérée, mise de côté, mais le temps reste le même. Fermer les yeux sur le paysage qui défile n'est pas se placer hors de celui-ci. On n'est nullement hors du temps. On ne se place pas non plus à un autre point de perception par rapport à la notion de temps. On perd juste les capteurs temporels, on n'y accorde pas d'attention pendant une durée donnée. Peut-on alors se placer hors du temps ? Ou du moins peut-on acquérir une perception alternative ou un point de vue utile sur le temps (plutôt que de simplement fermer les yeux sur lui) ? Si le temps a ce caractère relatif qui fait que c'est notre perception intérieure qui nous en donne la mesure, sur quels autres axes peut-on le déformer ?

La perte de la conscience de soi ou la dilatation du *moi* sont également mises en avant pour souligner le caractère singulier de l'état de flow. Là encore, elles sont induites par l'hyperconcentration sur une seule activité. Toutes les préoccupations à propos de soi-même sont temporairement écartées. Ceci donne, après coup, le sentiment d'avoir transcendé l'ego à un point qu'on ne croyait pas possible. Effectivement, il y a donc bien une forme de distance prise par rapport à l'ego sur le plan du flux de pensée pendant toute la réalisation de l'activité. À ce moment-là, c'est l'intention, la réussite de celle-ci qui priment. Même si cela reste limité à la durée de la tâche et plus encore à un constat a posteriori, ceci apporte néanmoins une source de réflexion quant à la nature de l'ego. Cependant, la source des activités amenant à l'état de flow peut n'être qu'une multitude d'intentions de l'ego. En effet, ce qui conduit à telle ou telle activité ou la fait choisir parmi d'autres demeure sous influence voire sous contrôle direct de l'ego. Tout un champ de désirs ou d'objectifs mène au déclenchement de l'activité. Comment donc prétendre à un tel dépassement lorsque la cause en est justement l'expression même de l'ego, lorsque la raison d'être première du flow est intriquée avec l'ego ou en est le pur produit ? Comment aller au-delà du caractère ponctuel de cet état hors de l'ego s'appuyant sur un état de flow limité dans le temps ? Comment passer d'une libération de l'ego basée sur le remplacement épisodique par une activité prenante à une libération plus permanente ?

Enfin, le sentiment de bien-être ou la joie sont également fréquents. C'est une conséquence, voire une caractéristique de la nature autotélique de l'activité qui produit le flow. L'activité est par elle-même son propre but. Tant qu'elle est en cours de réalisation, son but est atteint, d'où le système de récompense activé de manière continue et amenant à de telles sensations de satisfaction. Ce qui génère le flow est une récompense en soi. Si ces sentiments sont forts, ils vont effectivement supplanter toutes les autres expériences. Ceci fait encore une bonne raison, selon une certaine perspective, d'élever le flow au statut d'expérience ultime. Vouloir recréer à nouveau le flow partout ou y rechercher tout le temps ce type d'avantages peut cependant aussi être un piège. Nous nous fixerons dans cet état où l'on éprouve ces sensations de quiétude, de joie, de bien être ou de puissance… En étant pris isolément, le flow est un palier. Et sur d'autres plans, c'est même une impasse. En effet, c'est une plate-forme solide. On peut s'appuyer sur la confiance et les sentiments positifs qu'elle procure, bénéficier d'un esprit libéré de considérations perturbatrices. Ce sont autant de qualités essentielles pour aller plus loin dans la durée. Toutefois, cela peut aussi être une impasse si l'on se complaît dans la seule recherche des sentiments induits. Tout peut alors devenir prétexte à les susciter, des activités peuvent être dénaturées pour permettre cela. Ou plus simplement, on se satisfait de l'état atteint et sa jouissance sans qu'un nouveau palier évolutif ne puisse plus être entrevu. Comment donc éviter d'entrer dans une logique du *flow pour le flow* qui devienne également une impasse spirituelle et évolutive ?

In fine, adopter une perspective plus large par rapport au flow conduit à en relativiser les effets induits et soulève de nombreuses questions sur la manière de dépasser cet état. Ceci constitue autant d'opportunités de poursuivre plus avant tout en s'appuyant sur le flow comme une première marche. Certes, les perles du flow sont la principale matière première du collier. Néanmoins, considérer le fil et l'agencement de la totalité des perles du collier est ce qui permettra d'avancer vers l'Expérience intégrale.

Être dans le flow et aller au-delà

Pour avancer vers une capacité à reproduire les conditions de flow dans le cadre du télémark, il nous faut tout d'abord savoir reconnaître et habiter cet état (⇨11). Puis, il faut mettre en œuvre toutes les conditions préliminaires pour le favoriser (⇨13) pour enfin pouvoir le saisir et embarquer dessus (⇨12).

L'étude des caractéristiques de cet état a soulevé quelques problématiques de plus grande ampleur. En premier lieu, celle des objectifs liés à la pratique du télémark. Pour que le flow se produise et se maintienne, l'activité doit être autotélique, c'est-à-dire sans autre but qu'elle-même. Au cœur de la descente, affranchie de toute finalité externe à la pente, dans la pure concentration de la pratique, reste néanmoins une impulsion primordiale qui fait que cette activité a été initiée. Il va donc nous falloir rentrer dans le détail de ce qui constitue notre motivation pour le télémark, explorer les différentes strates d'objectifs qui peuvent y être associées (⇨14 à 18).

Ces pistes permettront l'exploration du volet *intérieur* de l'état qu'est le flow, dans la continuité de la préparation des conditions de base qui avaient rendu possible son atteinte (cf. 1, 2, 3). L'approfondissement des autres fondements à la base de la pratique du télémark doit aussi se poursuivre. En particulier, il faut mener plus avant l'écoute du corps (cf. 4, 5, 6, 7) qui est notre interface dans cette activité et celle des principes *mécaniques* de base (cf. 8, 9, 10). Ces derniers étant d'ailleurs cristallisés dans quelques *formes* simples (⇨19, 20, 21).

Vers la maîtrise du télémark et au-delà

Introduction à la suite du parcours

Nous avons désormais plusieurs pistes pour aller plus loin dans l'exploration intérieure. C'est aussi le moment où nous sortons des routes tracées. À partir de ce point, une infinité de chemins peut être suivie. Heureusement, nombreux sont également ceux qui ont parcouru les flancs de ces montagnes avant nous. Parfois, à force de travail, ils ont laissé une portion de sentier bien aplanie. Bien plus souvent, il ne reste qu'une maigre trace de leur passage, tel un tissu accroché à une branche ; il s'agit de jalons néanmoins précieux qui peuvent guider les suivants à travers ces pentes abruptes.

Les exercices qui suivent sont quelques-uns de ces jalons. Chacun est une étape de progression sur la montagne. Il n'y a pas un ordre unique et strictement linéaire selon lequel ils puissent être ordonnés. À chacun de construire son propre parcours, en fonction de son point de départ actuel, de sa compréhension progressive des étapes, de ce qui raisonne dans son expérience. C'est la pratique de ces exercices sur le terrain de la neige et au-delà qui guidera les étapes suivantes. Ce n'est que lorsqu'on atteint un jalon que l'on peut apercevoir la couleur vive d'autres jalons plantés un peu plus loin[11].

---

[11] Outre l'ordre dans lequel sont présentés ces exercices-jalons, des propositions de jalons suivants sont régulièrement indiquées par le signe : ⇨

On peut tenter de donner une vision d'ensemble des exercices-jalons recensés ici en s'appuyant sur l'image du paysage montagnard. Les bases que nous avons parcourues dans les parties précédentes (le contrôle de la concentration en mettant de côté la pensée, l'écoute du corps, la mécanique élémentaire du ski) sont dans les vallées. Des exercices-jalons se trouvent ensuite sur les pentes. Certains se succèdent, formant une séquence permettant de progresser de l'un à l'autre vers plus de profondeur dans la forêt ou de hauteur. Ce sont des pistes sur lesquelles les jalons sont assez proches entre eux. Ils constituent de fait un plus large chemin ou une voie d'ascension privilégiée dans ce paysage (tel l'axe du temps, du souffle ou de la lumière). On distingue également des cols dans ce paysage. Ces points sont plus hauts par rapport à là d'où l'on vient, à l'axe sur lequel on progresse actuellement. Et ils se succèdent (la maîtrise des bases, la reproductibilité du flow, la capacité à *skier* au-delà de la neige, l'union…). On rejoint ces points à partir d'une vallée pour ensuite changer de cap et se tourner vers l'un des sommets adjacents. Enfin, de multiples sentiers relient les jalons et les grands axes entre eux, à une maille qui ne pourrait être représentée sur aucune carte.

Ce paysage peut être exploré au gré des aspirations et des capacités de chacun et également en fonction des rencontres. Chaque expérience sur le terrain est un pas de plus dans cet environnement. Il n'y a pas un sommet dans ce parcours, mais plutôt plusieurs sommets au-delà des cols successifs. Les derniers jalons posés se trouvent certes sur des lignes de côte bien plus élevées que les premiers qui se situaient encore dans la vallée. Cependant, les sommets, s'ils existent, sont même au-delà. D'un sommet ou du point le plus élevé qui sera atteint, nous vous souhaitons d'entrevoir et de contempler l'ensemble de la chaîne des sommets.

L'exploration commence donc ici. Bonne route !

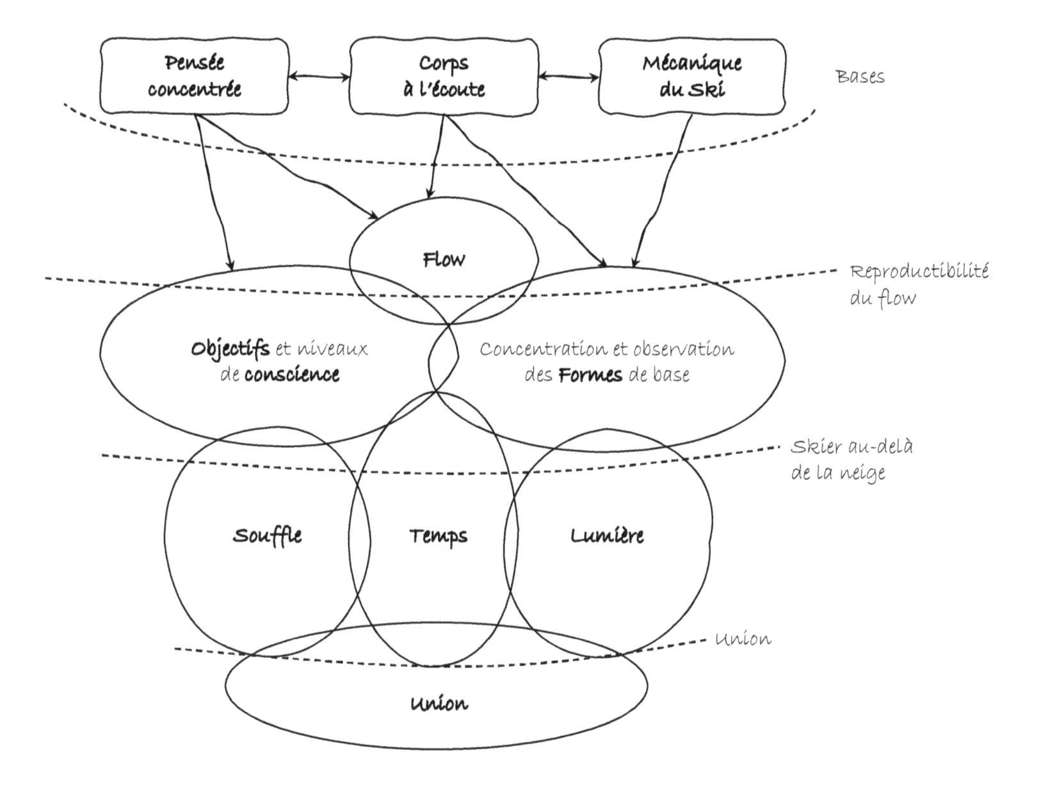
Pensée concentrée
Corps à l'écoute
Mécanique du Ski
Bases
Flow
Reproductibilité du flow
Objectifs et niveaux de conscience
Concentration et observation des Formes de base
Skier au-delà de la neige
Souffle
Temps
Lumière
Union
Union

SUR LE FLOW

Le flow est avant tout un état mental, dans le cadre duquel toute l'énergie est focalisée dans l'expérience de l'activité. La *concentration détendue, décontractée, souple* évoquée précédemment comme étant *la compétence du maître* est une antichambre de l'état de flow. Le flow n'est cependant qu'une étape et pas l'expérience ultime. L'enjeu est alors de pouvoir convoquer cet état sans s'emprisonner dedans.

En premier lieu, il faut apprendre à le connaître. Il doit être comme un lieu familier dans lequel on rentre et on demeure (⇨11). Ensuite, il convient d'embarquer sur le flow tel que l'on monterait sur ses skis (⇨12). Le flow devient ainsi l'objet skié, autant que la neige elle-même. Bien sûr, il est plus facile de faire cela dans des conditions appropriées. Il est donc utile de savoir préparer tout l'environnement intérieur pour ce faire (⇨13).

Reconnaître et habiter le flow (nº 11)

Admets que le plaisir et la joie que tu expérimentes lors de la pratique du télémark, lors de la descente, sont avant tout des sentiments intérieurs.

Constate que la performance, la qualité d'une descente dépend de ton état mental, des conditions intérieures.

Vérifie que toute amélioration des conditions intérieures, aussi mineure soit-elle, peut avoir bien plus d'effet que les changements des conditions extérieures sur ton expérience de la descente.

Les conditions intérieures sont les conditions de la descente. Les conditions intérieures sont les conditions de l'expérience. Les expériences sont les conditions intérieures.

Accorde toute ton attention aux conditions intérieures, à l'état de ton esprit.

Ne cherche pas en premier lieu à voir le flow, à savoir ce qu'est le flow et à le saisir. Le flow est une expérience totalement dédiée à une activité. Tenter de le saisir en l'analysant l'ébrécherait ou le romprait. Commence plutôt par apprendre à identifier ses effets induits.

Remarque que la continuité habituelle du temps a été modifiée. En particulier, note que l'environnement extérieur a déjà changé sans que tu aies pu apercevoir la continuité de ce changement. Reconnais aussi qu'il n'y a eu d'autres préoccupations ni d'autres considérations que la descente, que le paysage intérieur s'est évanoui comme le paysage extérieur.

Apprends à déceler les moments où les champs de perception interne et externe commencent à se resserrer, c'est-à-dire lorsque certains sens ou informations ne sont plus pris en compte. Note ce qui accompagne ces instants.

Observe que lorsque la concentration est totalement focalisée, la réaction par rapport à ce qui est perçu est immédiate. Il n'y a plus de considération des options. La moindre information est aussitôt traitée et donne lieu à une action. Au cœur de l'état de flow, il n'y a plus de place pour une analyse externe à cette activité, pour d'autres processus mentaux. Tu peux néanmoins percevoir en creux l'absence de tous les signaux qui ont disparu.

Ressens juste la grande stabilité au cœur de cet état. Perçois juste la force de la boucle autotélique.

Note la joie spontanée qui jaillit. Tourne-toi vers sa source. Si elle ne peut être saisie, c'est qu'elle provient de l'espace que le flow a laissé en éliminant toutes les tensions mentales liées aux autres activités.

Observe la qualité du ski que tu déploies avec certitude et sans t'en enthousiasmer. Note juste combien cette qualité est profondément ancrée à l'intérieur et s'exécute sans perturbation extérieure.

Tu tiens alors tout ce qui peut être saisi dans le flow sans le perturber.

La qualité d'une descente dépend de cette expérience. La qualité du ski dans sa globalité dépend de la capacité d'expérience.

Commentaires

À ce stade, nous prenons encore l'hypothèse que l'état de flow ne peut être généré à la demande. En première étape, on peut donc déjà essayer de le reconnaître au plus tôt.

Il faut commencer par admettre que c'est principalement vers l'intérieur que nous devons chercher pour influencer notre ski et pas exclusivement dans la technique et le contexte extérieur.

L'objectif ici n'est pas de susciter une première expérience de flow. Au contraire, elle est plutôt supposée déjà être une expérience récurrente, mais qui n'est pas encore domestiquée et est relativement aléatoire dans son apparition. L'enjeu est de la déceler, en particulier lors de son émergence, pour pouvoir l'habiter pleinement.

En première étape, il s'agit d'être attentif aux conditions internes et de donner la primauté à cette vigilance. Ensuite, en reconnaissant les effets induits du flow, sur la perception du temps par exemple, on apprendra à être sensible à leur venue ; c'est-à-dire au moment où les perceptions commencent à se distordre. Néanmoins, comme ces effets se ressentent par rapport à une certaine durée, il est toujours trop tard quand on pourra affirmer qu'ils sont présents. Ce n'est donc pas proprement l'apparition de l'effet induit qui pourra être notée, mais les moments où les champs de perception interne et externe se resserrent sous l'effet de la concentration accrue.

Pouvoir consciemment sentir que l'on est dans l'état de flow sans pour autant mobiliser l'attention pour ce faire afin de ne pas le détourner ou le briser pourrait presque relever du paradoxe. Cependant, il est possible de constater sous la forme d'une certitude stable et profonde que l'état de flow est déployé. En remontant à la source du flow, en étant progressivement conscient qu'on y est ou qu'on y rentre, on peut se familiariser avec ce sentiment et apprendre à reconnaître la forme qu'il prend pour nous.

Embarquer sur le flow et le skier (nº 12)

En haut de la pente, fais de la place dans ton esprit. Élimine les lignes mentales qui ne sont pas liées à la descente (cf. 1, 2, ⇨13).

Lance-toi dans la descente et amène ton attention sur les capteurs clés de la pratique du télémark : tes pieds, ton centre de gravité…

Démarre progressivement, de sorte qu'il y ait un équilibre entre le niveau de compétence requis par la pente et la mobilisation graduelle de tes capacités, la mise en place de ta position de télémark et l'activation des capteurs associés.

Garde ta concentration volontairement en main jusqu'à ce que tu perçoives un resserrement du champ de perception. Il peut se manifester par une réduction ou plutôt focalisation du champ de vision, une conscience directe des skis, une tension de muscles du corps selon un programme inné répondant aux exigences du virage, une impression mentale, voire physique, d'être projeté en avant dans l'action…

En ce point où la concentration se focalise, accompagne le mouvement en te projetant volontairement dans cette action.

Tu accompagnes et pousses jusqu'au bout le mécanisme naturel de concentration en t'y consacrant, t'y abandonnant pleinement par un engagement total. Pour que celui-ci soit total, il faut que tu puisses abandonner tout le reste. Ceci n'est possible que dans la confiance, la certitude de retomber sur un socle immuable et stable (cf. 11).

Quand tout est aligné, que toute information entraîne une réaction assurée sans nécessiter la moindre analyse, tu sens à nouveau cette grande stabilité au centre de toute ton action, de ton être (cf. 11). Il existe un état de concentration condensé qui gère toutes tes actions dans la certitude absolue, quelque chose au cœur du flow. Alors, c'est cela qui devient ta monture.

Tu embarques sur cet état et c'est lui que tu skies, bien plus que tes skis.

Commentaires

Le flow est un état de concentration intense et focalisé particulier. Au préalable, l'environnement doit s'y prêter (⇨13).

Pour le rejoindre, il s'agit d'accompagner l'effet de resserrement de la concentration en garantissant un bon équilibre entre la complexité de la situation à gérer et les compétences à mobiliser. Toutes les conditions requises étant réunies, déclencher un état de flow total devient envisageable. Pour ce faire, toutes les composantes issues d'autres états mentaux doivent disparaître.

Abandonner tout le reste pour se jeter dans le flow est un acte d'engagement fort qui doit pouvoir se faire sans hésitation. La confiance nécessaire à un tel saut ne peut être obtenue que par une bonne connaissance antérieure de l'état de flow, afin d'acquérir une certitude inébranlable quant à la situation dans laquelle on plonge.

La durée de cette procédure peut être extrêmement variable en fonction des conditions, de la pente, et de chacun. Elle peut donc s'étaler entre une fraction de seconde, quelques secondes et même plusieurs dizaines de secondes.

À terme, cet embarquement volontaire sur le flow peut devenir de plus en plus fluide, voire presque un réflexe.

Préparer la descente intérieure (nº 13)

Prépare chaque élément de ton matériel avec la plus grande attention, en exécutant des gestes précis.

L'ordre et l'exactitude de chacune des actions de préparation de ton matériel doivent être immuables.

Ferme également portes de voiture, maison, sacs ou autres à un moment précis de cette séquence. Ne laisse rien d'inachevé derrière toi, ne laisse rien de cette préparation qui soit imparfait.

Sûr de la présence et de la fiabilité de chaque élément, finis de revêtir tous les habits et accessoires et ajuste-les avec précision.

Prépare ton corps, dès les premiers déplacements. Pèse précisément l'effort que tu mets à porter tes skis à l'épaule, à te déplacer chargé de tout le matériel.

Dès que tu te déplaces, porte ton attention sur la plante des pieds, observe sa réceptivité au terrain. Sens la trajectoire de ton centre de gravité et comment son déplacement se retrouve projeté sur la surface de tes pieds. Passe en revue les sensations dans chaque partie de ton corps lors des déplacements vers la piste et détecte les éventuelles tensions dans chaque muscle.

Réalise ton échauffement, toujours selon le même ordre, en alternant les zones sollicitées de sorte à réveiller tout le corps progressivement.

Lors de la réalisation de chaque exercice d'échauffement, porte l'attention sur le muscle travaillé. Considère également le centrage et la stabilité de chaque posture en observant le centre de gravité et sa projection sur la surface des pieds.

Prépare l'esprit. À nouveau, reconnais que le plaisir et la joie que tu expérimentes, que la performance et la qualité d'une descente dépendent des conditions intérieures (⇨11).

Si tu as dédié toute ta conscience à chacune des actions préparatoires de ton matériel et de ton corps, l'esprit est déjà prêt à aborder la piste comme il se doit. Il ne te reste qu'à en constater la stabilité, la capacité à se donner intégralement, à se plonger dans l'action (⇨12).

Reconnais que l'objectif ultime de ce rituel de préparation d'éléments extérieurs est de déployer et affiner toutes les conditions appropriées pour la descente intérieure.

Commentaires

Toute la préparation à la pratique du télémark n'est qu'un chemin vers le flow. Si le trajet ce matin a été fait jusqu'aux pistes, c'est pour rencontrer ces conditions intérieures. Une fois cette aspiration admise, tout s'oriente sur la mise en condition dans cette perspective.

Outre l'intérêt évident d'un tel rituel pour convoquer les meilleures dispositions intérieures pour la descente, il s'agit d'un élément pouvant être directement porté hors de la neige. Il commence déjà chaque fois avant d'atteindre la piste. Lorsque cette préparation est régulière et efficace les jours de télémark, on peut également l'étendre aux journées sans ski par exemple en répétant quotidiennement la phase d'échauffement. Le travail régulier du rituel renforcera son effet sur les moments de télémark. Il amènera aussi dans toutes les autres situations un peu de ces conditions intérieures qui prédisposent à l'expérience optimale. C'est donc une des possibles étapes parmi d'autres pour être dans l'état du télémark sans le télémark, pour le porter en soi, même loin des pistes.

Ensuite, ce rituel pourra être enrichi à mesure de la progression dans la compréhension des états intérieurs (par exemple : ⇨31).

OBJECTIFS ET NIVEAUX DE CONSCIENCE

Très tôt dans ce cheminement, nous avons vu que nos motivations et émotions pouvaient être un moteur pour notre pratique du télémark comme elles pouvaient la déstabiliser. Nous avons donc en premier lieu tenté de mettre de côté l'expression de ces intentions sous la forme de pensées (cf. 1). Puis, nous avons progressivement été plus vigilants sur la manière dont elles se manifestent, notamment sous forme d'émotions, afin de ne pas se laisser tirer hors de notre centre alors que nous étions sur les skis (cf. 8).

Étudiant le flow, nous avons identifié que pour qu'il émerge et se maintienne, l'activité doit être autotélique, c'est-à-dire sans autre but qu'elle-même. Même au cœur de la descente, affranchi de tout objectif externe à la pente, dans la pure concentration, il reste néanmoins une impulsion primordiale qui fait que cette activité a été initiée et est devenue centrale. Ceci nous incite à rentrer dans le détail de ce qui forme notre motivation pour le télémark et explorer les différentes strates d'objectifs qui peuvent y être associées.

En préambule, un tri dans ce que sont réellement nos *objectifs* s'impose. Il est nécessaire de commencer à identifier ce qui nous amène régulièrement vers le télémark (⇨14). Ce qui constitue un but étant intrinsèquement lié à la vision que nous avons du monde, comprendre cette notion devient alors aussi essentiel (cf. *Introduction à une vision du monde en évolution*, p.77).

Le niveau de conscience actuel étant le fruit d'une évolution, il est en premier lieu souhaitable de reparcourir sa vie de skieur (⇨15). Ceci est un prérequis pour constater certaines évolutions de sa propre vision du ski et du télémark au cours du temps (⇨16). Cela permet également de reconnaître les niveaux de conscience qui nous ont guidés et qui déterminent encore nos actions présentes (⇨17). L'analyse de ces motivations ne serait alors pas complète sans prendre le temps de considérer ce qui nous animerait toujours si nous ne disposions pas de la pratique du télémark (⇨18).

Examiner ces éléments dans le cadre de cette pratique, permettra ensuite de revenir à une question plus globale, celle de l'interaction du télémark avec le reste de la vie du skieur.

Pourquoi fais-tu du télémark ? (nº 14)

Pourquoi fais-tu du télémark ?

Pourquoi fais-tu du télémark cet hiver ? Quel est ton objectif de la saison ?

Pourquoi fais-tu du télémark aujourd'hui ? Quel est ton objectif de la journée ?

Fais-tu du télémark pour améliorer un ou plusieurs points particuliers de ta technique ? Et si oui, pourquoi ? Pour accéder à quoi ?

Fais-tu du télémark pour gagner, pour atteindre un objectif de compétition ? Et si oui, pourquoi ? Qu'est-ce que cela t'apportera ?

Fais-tu du télémark juste pour faire de l'exercice, pour la santé, pour un style de vie ? Et si oui, pourquoi considères-tu que cette activité te l'apporterait ?

Fais-tu du télémark pour aller à un endroit précis (sommet, pays, station) ? Et si oui, pourquoi ? Que représente-t-il pour toi ?

Fais-tu du télémark pour t'évader, pour changer d'environnement ? Et si oui, pourquoi ?

Fais-tu du télémark par rapport aux autres ? Pour être reconnu des autres ? Pour appartenir à une communauté ? Ou au contraire pour t'en démarquer ? Et si oui, pourquoi ?

Fais-tu du télémark pour accumuler le plus grand nombre de jours de ski ? Et si oui, pourquoi ? Où cela doit-il te mener ?

Si tu as répondu oui ou partiellement oui à une seule de ces questions, alors ne skierais-tu pas pour une projection, ne serais-tu pas à la recherche d'un mythe ?

Que te disent tes objectifs de ski sur toi et ta vision du monde (⇨16) ?

Fais-tu du télémark pour le présent du ski ? Juste pour skier ? Juste pour Être en skiant ?

Commentaires

Cet exercice de questionnement peut être mené une seule fois ou à chaque saison, comme il peut être conduit au matin de chaque jour de télémark. Il peut être réalisé dès le réveil, au moment du choix des skis ou lors du trajet vers les pistes, pendant la préparation du matériel… Il permet ainsi de prendre conscience de la trame extérieure qui nous pousse vers le télémark. Il sera ensuite possible d'intervenir sur cette trame (⇨31).

Nombre d'entre nous skient pour chercher *autre chose* que le ski, en courant après telle ou telle image de ce que cette activité doit être, de ce que leur vie devrait être. Dans ce cas, ils ne skient pas la neige, mais une projection de ce que leur pratique du télémark ou eux-mêmes devraient être, voire une illusion. Il est important de comprendre lucidement pourquoi on fait du télémark, ce que l'on recherche dans cette discipline. Pour ensuite le faire évoluer ou l'abandonner (⇨15 à 17)…

Introduction à une vision du monde en évolution

L'expérience du flow est un état de conscience et de perception particulier. À ce moment, la perception du monde change. Le flow, tel que ressenti sur les skis, est un petit cas d'évolution de la conscience observable sur quelques paramètres emblématiques comme la perception du temps, du sujet et de l'objet, de l'objectif... Si la façon dont on perçoit le monde peut muter ponctuellement dans le cadre d'une expérience donnée, c'est qu'il s'agit de quelque chose qui n'est ni unique ni immuable. Les visions du monde sont même multiples et évolutives.

Un niveau de conscience particulier se caractérise notamment par la manière dont l'individu conçoit sa propre personne et le degré de corrélation entre les notions de sujet et d'objet dans ce processus d'identification. En fonction de cela, sa raison d'être, son système de valeurs, ses objectifs sont radicalement différents. De fait, cela influe sur le comportement dans toutes les sphères de la vie.

De plus, la vision du monde de chacun est évolutive. Les travaux les plus connus sur le thème de l'évolution par niveaux de conscience sont probablement ceux de C. Graves, ensuite popularisés sous la représentation dite de la *spirale dynamique* de D. Beck et C. Cowan. Afin de faciliter leur communication en les désignant avec un vocable simple, une couleur est généralement attachée à chaque niveau. De multiples autres auteurs ont abordé ce sujet et proposé des échelles de ces niveaux d'existence humaine. Wilber, Patten, Leonard & Morelli en présentent une comparaison et une synthèse dans *Integral Life Practice*, sur laquelle nous nous appuierons ici.

Couleur	Vision du monde	Être (en termes de perception sujet/objet)	Système de valeurs / Objectifs	Structures sociales de référence
Infrarouge	**Archaïque**	Pas de séparation sujet/objet, pas d'individualisation	Survie	Non applicable
Magenta	**Magique**	Recouvrement partiel sujet/objet	Survie du groupe	Tribu / Clan
Rouge	**Puissance**	Individu au centre / Subjectivité unique	Émergence de l'égo, distinct du groupe. Désirs de l'égo	Loi du plus fort. Être le leader, ou suivre le leader le plus puissant
Ambre	**Mythique**	Subjectivité partagée	Suivre les principes supérieurs, la loi	Unis avec les autres par un système de croyances / lois (religion, nation…)
Orange	**Rationnelle**	Deux sphères clairement distinctes entre le subjectif et l'objectif	Progrès	Marchés, échanges
Vert	**Pluraliste**	Reconnaissance de l'existence de multiples points de vue (subjectif)	Égalité	Consensus / Égalitarisme
Bleu/Vert	**Intégrale systémique**	Reconnaissance de l'existence de multiples points de vue et capacité à les analyser, hiérarchiser	Développement personnel et collectif	Émergentes
Turquoise	**Intégrale holistique**	Les différents points de vue comme différentes faces d'une unique réalité	Besoin d'Être	Pas encore matérialisées à grande échelle
Indigo	**Supra-intégrale**	Subjectif et objectif sont transcendés / Unité	Transpersonnel	Pas encore matérialisées à grande échelle

Seules les quelques étapes de la montée de conscience les plus facilement identifiables à travers les différentes recherches sont décrites ici. Les étapes sont bien plus fines et continues que sur ce schéma. En particulier, les plus élevées sont les moins documentées et a fortiori les moins communicables par les mots qui ne peuvent en traduire l'expérience.

Au cours de notre vie, nous progressons à travers différents stades. Nous ne pouvons atteindre un niveau de conscience supérieur qu'après être passés par tous les degrés intermédiaires. Cette progression n'est pas homogène dans tous les aspects de la vie. Nous pouvons avoir des comportements d'un certain niveau dans le cadre de notre travail, se combinant avec un autre niveau sur un plan plus spirituel et encore un autre concernant ce qui touche à notre activité sportive.

En quoi ces théories formalisant les stades de conscience sont-elles liées à notre pratique du télémark ? Le skieur, comme tout être humain, a évolué à travers certains de ces niveaux. Et ceci s'est fait en lien avec son évolution de conscience globale et tous les facteurs constitutifs de l'environnement qui l'ont amené au télémark et fait persévérer dans cette voie. De multiples facettes du comportement du skieur dépendent du milieu dans lequel il se meut, de sa vision du monde et du système de valeur qui le guident :

- Type de pratique : piste, randonnée, snowpark, combinaison de ces pratiques…
- Pratiques de plusieurs glisses ou non (télémark, ski, snowboard, monoski, skwal, teleboard…) ? Et si oui, lesquelles et pourquoi ?
- Approche vis-à-vis de la progression technique : définition des objectifs, méthode, collective ou individuelle…
- Idéal et références en ce qui concerne le télémark : Qu'est-ce qu'être un bon skieur ? Qui est un bon skieur ?
- Formulation et gestion des objectifs : D'une saison ? D'une journée ? D'une descente ?
- Approche face à la compétition
- Choix des lieux pour faire du télémark et motivations pour ce faire
- Choix du matériel : Processus de choix ? Fréquence ? Références ?
- Médias consommés en lien avec le télémark et la montagne

- Sphères sociales en lien avec la pratique du télémark
- Interdépendances entre l'organisation du reste des activités (professionnelles et personnelles) et la pratique du télémark
- Occupation du temps passé sur les télésièges
- ...

De là, comment se servir de cet outil pour faire progresser le skieur au-delà de la *zone* du flow ? Le chemin d'accès au flow s'appuie principalement sur l'écoute, l'attention, l'ouverture. Exploitons aussi cette approche pour les niveaux de conscience. Commençons par reconnaître les éléments qui structurent notre vision du monde actuelle, puis naturellement nous avancerons dans leur mise en relation et une compréhension plus intégrale et unitive.

Le niveau de conscience actuel est le fruit d'une évolution. Il est donc souhaitable en premier lieu d'examiner sa vie de skieur, depuis les événements qui nous ont amenés sur les skis, en passant en revue ceux de chaque saison jusqu'à aujourd'hui. Au-delà d'une froide relecture chronologique, il s'agit d'en dérouler à nouveau le film en le revivant, en en ressentant toutes les émotions d'alors et en particulier celles des moments les plus marquants. Il est important de revoir plus en détail les moments de transition de toute nature (décision de démarrer une nouvelle glisse, changement d'environnement...) et de s'en remémorer les motivations. Faire l'exercice de passer en revue son cheminement de skieur (⇨15) est un prérequis pour constater l'évolution au fil du temps de sa propre vision de la pratique du ski et du télémark.

Ensuite, il permettra de reconnaître plus aisément l'expression de différents paliers qui forment la présente pratique. Simplement discerner les niveaux de conscience qui nous ont guidés et qui définissent encore nos actions est le principal exercice qui peut être proposé (⇨17). C'est une ouverture, une attention à l'être et ses déterminants. Il s'agit, en reparcourant la description des différents stades (⇨16), d'examiner tous les axes précédemment cités qui caractérisent notre pratique du ski (type de pratique, multiples engins de glisse, approche technique, environnement...). L'objectif sera d'identifier les éléments faisant écho au stade de conscience considéré. Il n'est pas question de chercher à forcer quelque évolution d'un stade à un autre, mais simplement de découvrir, constater, admettre toutes les *couleurs* qui nous composent encore, ne serait-ce parfois que fugacement.

Ce parcours n'est pas à mener en descente, ski au pied, bien que les remontées mécaniques ou ascensions puissent en laisser le loisir. Il n'est d'ailleurs pas propre à la pratique du ski et est transposable à toute activité. L'examiner dans le cadre du ski permet ensuite de revenir à une question plus globale, celle de l'interaction du télémark avec le reste de la vie du skieur. Comment peut-il porter ou faire fructifier dans d'autres domaines les éléments issus d'une pratique sportive avancée en conscience ?

Reparcourir son évolution de skieur (nº 15)

Reparcours ton histoire de skieur.

Refais le chemin qui t'a amené sur les skis.

Revis chacune des saisons.

Recherche les moments clés : caps d'apprentissage, victoires et défaites, décisions de changement d'orientation, découvertes d'autres glisses, changements d'environnement…

Vois, entends, sens, goûte, touche ce qu'étaient ces jours.

Ranime chacune des émotions de ces moments.

Ressens dans tout ton corps comment se déroulaient les descentes, les journées de télémark.

Rappelle-toi pourquoi tu allais faire du télémark. Rappelle-toi pour qui tu allais faire du télémark. Repense à tes objectifs d'alors.

Revis chacune des décisions qui ont concerné ta pratique, les conditions de celle-ci, le choix du matériel…

Remémore-toi ce qu'étaient tes rêves et désirs de télémark, quelles étaient tes idoles et les images extérieures du télémark qui t'entouraient ou qui t'attiraient.

Souviens-toi de l'image que tu avais de toi, sur les skis et hors des skis.

Entoure-toi en pensée de ceux qui accompagnaient ta pratique ou qui présents à cette époque influaient sur elle.

Revis chacune des émotions de ces moments.

Commentaires

Cet exercice n'est qu'une introduction au cycle de reconnaissance des différentes visions du monde (cf. 16, 17). Il permet de se reconnecter avec toute l'histoire passée pour ensuite en discerner les diverses composantes et leur évolution. Pour être efficace, il ne doit pas être déroulé froidement, mais bien être *revécu* intérieurement, avec toutes les émotions associées.

Afin d'être suffisamment complet, il faut examiner les quatre dimensions de l'existence (sous l'angle individuel et collectif, mais aussi intérieur et extérieur). Soit pour le skieur :

- comment cela a été émotionnellement ressenti, comment cela a été pensé ;
- comment cela a été vécu en ce qui concerne les relations avec les autres et le partage ;
- comment le corps l'a exécuté ;
- comment l'environnement, le monde du ski et du télémark et ses codes étaient perçus et ont influé sur ce parcours.

À travers les teintes de la conscience (nº 16)

Après avoir revisité ton évolution de skieur, cherche à faire le lien entre ces événements et la progression de ta vision du monde. Pour ce faire, repercours cette palette des couleurs des stades de conscience de l'infrarouge à l'indigo[12] *:*

Infrarouge – Archaïque

Dans une vision du monde de ce niveau, la survie est le principal objectif guidant toutes les actions. Il n'y a pas de séparation entre le soi et le reste de l'environnement. Toutes les sensations sont confondues et cette conscience primaire est dirigée vers le seul accomplissement des besoins vitaux. La conscience ne dissocie pas encore l'individu du monde qui l'entoure.

Quelqu'un faisant ses premiers pas à ski, confronté au froid et à la substance neigeuse sur des engins peu stables qui l'entravent, réagit spontanément juste pour essayer de se maintenir debout, de tenter de contrôler quelque chose. Le skieur qui s'est mis dans une situation difficile, une pente bien au-delà de son niveau, perd temporairement ses repères et réagit instinctivement pour se sortir de cette situation sans autre analyse.

As-tu déjà été dans cette situation ? Quels ont été tes débuts de skieur ?

---

[12] Voir *Integral Life Practice* de Wilber, Patten, Leonard & Morelli pour une description plus complète de chacun des stades de conscience suivants et une comparaison d'autres échelles proposées par différents auteurs par rapport à cette échelle de couleur.

Magenta – Magique

Une vision du monde de ce niveau est caractérisée par une faible distinction entre *sujet* et *objet*, dans le sens où des objets inanimés peuvent être perçus comme dotés d'un esprit. Des objets sacrés interviennent dans les activités humaines, parfois avec un rôle important. Des forêts, des rochers, des montagnes, des rivières peuvent être assimilés à des entités possédant un esprit. Sur le plan social, c'est une vision tribale qui domine, celle du clan. La protection de celui-ci est garantie par le respect de l'autorité des ancêtres, de traditions ou autres entités mystiques.

Différents skieurs peuvent être rattachés à ce niveau de vision du monde. Notamment ceux pour qui les skis sont un objet un peu magique dont ils ne comprennent pas formellement la physique ou ceux qui suivent la troupe qui les a initiés au télémark en sont un exemple. Au-delà de ces phases plutôt débutantes du ski ou du télémark, cette vision du monde est aussi partagée par celui qui personnalise sa paire de skis comme étant quelque chose de plus qu'un outil. Elle concerne de même ceux qui ont un rapport personnifiant vis-à-vis de la nature, qui perçoivent le cadre de la montagne, une montagne particulière ou un autre élément naturel comme une entité. Cela est indépendant du niveau technique de ski. Dans le milieu des compétiteurs, il peut y avoir des équipes, des clubs fonctionnant en mode clanique. La quasi-vénération de prédécesseurs ayant obtenu certaines victoires ou descendu certaines pentes peut également être présente dans ces milieux.

Quel est ton rapport à la montagne ? Y reconnais-tu une présence, une forme personnelle ?

Quel est ton rapport à tes skis ? Est-ce que tu les considères comme unique, voire ayant une touche de personnalité propre ?

Y vois-tu des éléments personnels ? Partiellement magiques ? Leur reconnais-tu une forme d'âme ou d'esprit ?

Au sein des collectifs de skieurs dont tu fais partie, reconnais-tu une autorité de certains membres ou celles de figures illustres du ski ou du télémark ? Te conformes-tu à des habitudes spécifiques, assimilables aux coutumes d'un groupe, dans le cadre de la pratique du télémark, ou de l'après-ski ?

Reconnais en toi la part magique dans la relation au télémark et à l'environnement.

Rouge — Puissance

Cette vision est centrée sur l'individu et son ego. L'ego doit avoir ce dont il a envie. C'est la satisfaction quasi immédiate des désirs qui guide l'action ; c'est une attitude qui est donc plutôt impulsive. Un individu, un ego bien distinct du clan émerge à ce niveau. Socialement, la survie du plus fort est la règle principale. Selon cette vision, celui qui ne peut être le leader ultime va chercher à suivre le leader le plus puissant. C'est-à-dire qu'il va servir celui qui lui permettrait de maximiser son propre pouvoir et ainsi se positionner dans la hiérarchie des dominants. La relation à toute entité spirituelle est vue aussi dans l'intérêt de l'ego. L'individu reconnaît une entité pour le pouvoir qu'elle aurait en lui accordant d'accéder à ses désirs. Il obéit à cette entité ou lui adresse des prières afin de lui demander ce qui satisfera l'ego.

Le skieur commence à se comparer aux autres. Il montre au sein du groupe ce qu'il sait faire. Le rouge peut être présent dans la durée dans la vie du skieur, car c'est aussi la règle du sport en compétition : un parcours, un chronomètre et un unique gagnant. Même sans cadre formel de compétition, le souhait d'accéder à la puissance peut se matérialiser par la recherche de la réalisation la plus emblématique (plus haut sommet, plus forte pente, saut…).

Quels sont tes objectifs en descendant une pente, lors d'une journée de télémark ou à l'échelle de la saison (cf. 14) ? Vises-tu à être le premier d'une compétition, formelle ou non ? Vises-tu à être le premier à réussir quelque chose ? Vises-tu à faire mieux que d'autres ?

Dans le groupe de skieurs dans lequel tu évolues, cherches-tu à t'en distinguer ? Cherches-tu à en être un élément unique, reconnu pour une capacité particulière, que ce soit sur la piste et dans le télémark ou dans les activités qui l'entourent ? Reconnais-tu l'existence d'autres leaders ayant ces capacités ? Et comment te positionnes-tu par rapport à eux ?

Reconnais-tu dans la montagne ou la nature une entité qui te permet d'accéder à tes désirs (ne serait-ce qu'en te laissant passer en sécurité) ?

Reconnais en toi la part rouge de recherche de puissance et d'accomplissement de tes désirs, dans ta relation à la pratique du télémark et au groupe.

Ambre — Mythique

À ce niveau, les hommes, bien qu'issus de clans, d'origines ou de systèmes diversifiés, peuvent néanmoins se réunir en partageant une même croyance en un ou plusieurs dieux ou principes. Une vie plus stable et pacifiée est alors possible au sein d'un groupe d'hommes plus large dans la mesure où ils respectent des lois, des codes et des pratiques communes. À l'échelle individuelle, il est admissible de sacrifier une part de soi pour servir les organisations ou les dieux qui permettent cette stabilité. Ces règles communes fournissent par ailleurs une vision du sens de la vie et du rôle de l'humanité en introduisant des principes à suivre plus grands que l'individu. Ce sont des conventions, commandements religieux ou lois qui garantissent la cohérence de la société. Si la non-appartenance au clan ne permet plus de distinguer l'ennemi, le monde n'en reste pas moins nettement divisé : il y a ceux qui se conforment à ces lois et tous les autres. Sur le plan spirituel, l'individu n'est plus seul face à Dieu ou au principe spirituel absolu, mais relié à tout un peuple qui le sert ; ceux qui n'en font pas partie et ne reconnaissent pas ces mêmes principes étant perdus.

Pour le skieur, cette perspective s'invite assez vite dans sa réalité. La pratique du ski, c'est aussi le partage de l'environnement des pistes avec les autres. Il y a donc un minimum de règles à respecter pour vivre ensemble sur les pentes. Cependant, il n'y a alors que sa glisse de référence, le télémark, qui prime selon son point de vue. Le reste des glisses sur neige est perçu comme étant *autre chose*. Elles sont au mieux considérées comme inutiles ou ignorées.

Sans connaître les autres télémarkeurs, quels sont les règles ou principes partagés avec eux auxquels tu te conformes ?

Qu'est-ce qui fait que tu te considères faisant partie des télémarkeurs ? Partagez-vous des principes communs, des règles communes ?

Comment considères-tu les pratiquants des autres glisses sur neige ? Ta glisse principale, le télémark, est-elle une pratique supérieure aux autres ?

Quels sont les critères de choix de ton matériel ? Suis-tu une référence particulière ?

Reconnais dans ton attitude, dans ta conception de la pratique du télémark, ses éléments ambrés, mythiques.

Orange — Rationnelle

C'est le premier niveau de vision qui va englober tous les humains et donc être centré sur le monde et non plus sur un sous-groupe particulier. La reconnaissance de droits égaux pour l'ensemble des humains caractérise ce niveau. Cette vision est guidée par la recherche du progrès, du succès, de la réussite… Il n'y a plus de loi immuable et supérieure qui détermine tout. Au contraire, il est possible d'agir pour changer le futur. Pour aller vers ce succès, il faut suivre le meilleur chemin, alors que tout le reste du monde est également en compétition pour cet idéal. La démarche pragmatique et scientifique est l'expression même de ce paradigme. Dans cette vision, l'objectif et le subjectif sont désormais deux domaines totalement séparés. Spirituellement, l'individu peut exercer sa raison et son libre arbitre face à Dieu. Il peut avoir sa propre voie et tout à fait admettre que d'autres aient une voie spirituelle différente qui soit tout aussi pertinente pour eux.

Sur les skis, c'est la perspective qui fait comparer les méthodes pour améliorer sa technique. Le skieur ne suit plus exclusivement les consignes d'une seule référence qui représente l'autorité du télémark, mais il croise les informations et expérimente *scientifiquement* pour optimiser sa manière de descendre les pentes. Il essaie éventuellement d'autres types de ski pour rechercher ce qui fonctionne le mieux pour lui. Sur un plan plus social, le skieur admet l'existence de pratiques alternatives de glisse sur neige. Ainsi, certains vont aborder ces glisses, mais parfois sans persévérer faute de rendement rapide.

Comment gères-tu ta progression technique en ski ? Comment identifies-tu les éléments à améliorer ? Quelles actions mets-tu en œuvre pour ce faire ?

Comment as-tu choisi ton matériel ? Sur la base de quels critères ? Est-ce exclusivement le fruit d'une comparaison rationnelle et systématique de toutes les options possibles ?

Comment considères-tu les pratiquants des autres glisses sur neige ? Toutes les pratiques sont-elles équivalentes ?

Comment choisis-tu ta destination et les périodes auxquelles tu vas skier ?

Reconnais dans ta pratique du télémark, l'approche rationnelle et pragmatique qui la gouverne.

Vert – Pluraliste

Avec une vision pluraliste, l'individu a la capacité à considérer différents points de vue. Cette vision reconnaît également les liens entre ces points de vue. Elle les juge tous comme égaux qu'ils soient ceux d'une minorité ou d'une majorité et quelle que soit leur nature. Cette vision est donc profondément égalitaire. Aucune des parties ne doit être désavantagée, toutes doivent être respectées, toutes doivent pouvoir s'exprimer. Toutes les voies spirituelles sont tolérées et reconnues. La conscience du monde est un peu en tous. Tous sont dignes d'estime. La relation de l'individu à sa tradition spirituelle est revisitée au profit d'une relecture plus universelle.

Toutes les pratiques du ski (compétitions ou randonnée, fond ou descente) et toutes les formes de glisse (ski, snowboard, télémark…)

sont également respectées. Objectivement, toutes les glisses permettent des performances. Et s'il y a des pratiquants de chacune d'entre elles, c'est qu'ils y trouvent un intérêt. Pourquoi alors ne pas les essayer une par une à l'occasion ? Pour celui qui s'engagerait dans plusieurs glisses, il y aurait même matière à capitaliser d'une glisse à l'autre en identifiant les fondements communs.

Quelle importance portes-tu au principe d'égalité ? Revendiques-tu une considération égale pour tous les êtres ?

Quelle est ou a été ta réaction face aux glisses nouvelles ou minoritaires (monoski, skwal, teleboard...) ? Leur reconnais-tu des éléments communs ? Toutes sont-elles pour toi au même niveau ?

Fais-tu une différence entre les formes de compétitions de ski, sur le plan du mérite ou de la pertinence ? Ou toutes sont-elles égales ?

Reconnais, dans ta pratique du télémark, la vision pluraliste et égalitaire.

Bleu-Vert — Systémique intégrale

Mettant à profit le niveau précédent, cette vision du monde adopte cependant plus de profondeur dans l'analyse des différentes perspectives. De fait, elle peut distinguer des visions du monde faisant preuve de plus de pertinence ou de véracité d'autres perspectives moins intéressantes. Alors que la vision verte reconnaissait l'existence de points de vue alternatifs (orange, magenta…) et les considérait tous sur un pied d'égalité, cette vision est capable de distinguer leur degré de finesse relative. Elle est, en outre, sensible à la manière dont elles s'imbriquent entre elles. Les niveaux de visions précédents avaient plutôt pour objectif de répondre à des manques, au moins potentiels (garantir la survie, protéger la stabilité, acquérir plus de pouvoir, plus de progrès matériel, plus d'égalité). Mais, ici, c'est pour la première fois un besoin d'Être, d'existence qui va guider les actions, de l'individu au collectif. L'universalité de la vision spirituelle s'étend encore plus. La présence de Dieu est reconnue dans tous les êtres et toutes les visions, dans toutes les traditions sous diverses formes et sensibilités.

Parmi ceux qui t'entourent, es-tu capable d'identifier les visions du monde (parmi les précédentes) qui guident leur pratique du télémark ou du ski ?

Comment juges-tu leurs différentes perspectives entre elles ? Es-tu capable de distinguer ce qu'elles ont en commun ou quelles sont les variations d'une même perspective fondamentale ? Peux-tu les relier ? En as-tu une vision d'ensemble ?

Tes interactions avec les autres prennent-elles en compte leurs différentes perspectives ? Fais-tu varier ta communication avec eux en fonction de ce que leur vision du monde leur permet de percevoir ?

Sur le plan technique, distingues-tu les différentes pratiques de glisse sur neige ? Ou n'y a-t-il qu'un système de glisse cohérent qui s'exprime de différentes manières selon les divers engins ?

Reconnais les prémices d'une vision intégrale dans ta pratique du télémark et tes interactions dans ce domaine.

Turquoise – Holistique intégrale

Dans une vision turquoise, à la capacité d'appréhender les différentes perspectives s'ajoute la compréhension de leur formation, de leur émergence. C'est la construction du sens de la réalité, du sens de l'être qui devient intelligible. Tous les niveaux de conscience précédemment cités sont perçus non seulement comme reliés dans quelque chose de plus vaste, mais tels les aspects variés d'une même essence, d'un même système. À ce niveau de conscience, l'individu commence à être profondément relié à ce tout plus grand, à s'identifier à cette essence plus large, au cœur qui fait interagir ces visions du monde. Ses actions sont alors guidées par la recherche d'un plus haut niveau d'éveil ou de conscience.

À nouveau, pourquoi pratiques-tu le télémark ? Pourquoi es-tu en montagne ? Est-ce un moyen de recherche au profit d'un éveil d'un autre ordre ?

Qu'attends-tu de ce livre ? Qu'est-ce qui t'a amené à lui ? Quelles réponses cherches-tu ? Quelle recherche y poursuis-tu ?

Reconnais dans tes motivations pour la pratique du télémark, dans ton attention à sa compréhension, les éléments d'une vision d'ensemble, holistique (⇨36).

Indigo et au-delà — Supra intégrale

La vision turquoise permettait de distinguer les différentes faces de la réalité et de savoir comment elles interagissent et sont reliées. La vision indigo lui ajoute d'autres dimensions de perception. C'est maintenant directement la *Totalité* qui peut être perçue, toute la masse, la profondeur, la texture interne de ce dont le niveau turquoise ne voyait encore que les faces.

À ce niveau, la conscience dépasse progressivement l'identification avec la personnalité. L'ego n'est alors plus le point central de la perspective ou même un point auquel il est nécessaire de relier les différentes perspectives. La personnalité individuelle n'est plus qu'une forme, une expression d'une unicité plus grande. Les notions de sujet et d'objet sont transcendées. Les deux sont en fait le fruit d'une seule unité. C'est donc à terme l'identité avec cette totalité qui peut être atteinte.

La relation à la temporalité est également tout autre, elle n'est plus limitée. La vie est *une* dans son intégralité, dans toute sa durée, hors des cadres temporels usuels et pourquoi pas en relation avec l'éternité.

Comment perçois-tu les liens entre les différentes visions du monde antérieures ? Ceux-ci te parviennent-ils individuellement ou bien dans une vision d'ensemble par des flashs ?

Quel est ton rapport au temps ? La linéarité du temps est-elle pour toi quelque chose d'immuable ? Ou y a-t-il d'autres manières de percevoir le temps ? (⇨30 à 37)

Reconnais que les pistes de l'évolution personnelle sont multiples, mais courent toutes sur une même montagne. Reconnais que les poursuivre amènera à dépasser la surface (de la personne) et s'enfoncer dans la roche au cœur de cette montagne.

Discerner les couleurs qui nous composent et se mélangent (nº 17)

Considère ton être de skieur à travers le passé et le présent (cf. 15).

Considère ton être de skieur à travers toutes ses dimensions : corps, pensées et émotions, relations et partage, environnement social…

Prête l'oreille à la part de conscience primordiale, voire animale, qui sommeille encore fugacement en toi (cf. 16/Infrarouge).

Distingue la part magique de ta relation à la montagne et au télémark (cf. 16/Magenta).

Admets la force de tes désirs et de ta recherche de puissance sur la neige (cf. 16/Rouge).

Décèle les lignes des mythes collectifs dans lesquels ta pratique du télémark s'inscrit (cf. 16/Ambre).

Perçois le pragmatisme rationnel de tes choix de skieur et leurs limites (cf. 16/Orange).

Nomme ta capacité à reconnaître l'égale valeur de toutes les approches de glisse (cf. 16/Vert).

Empare-toi de ces sens qui te permettent de percevoir comment les différentes visions du monde se relient, s'agencent et s'intègrent (cf. 16/Bleu-vert, Turquoise, Indigo).

Reconnais qu'aujourd'hui, en tant que skieur, ta vision du monde est issue d'une composition de ces couleurs.

Reconnais les couleurs dominantes dans d'autres aspects de ta vie (hors-ski).

Reconnais les écarts entre les couleurs de ta vision de skieur et les autres couleurs dont tu es composé.

Laisse œuvrer dans le télémark et au-delà le mouvement évolutif entre les visions dont tu es composé.

Identifie le mouvement évolutif lui-même, la dynamique des visions du monde en formation, en devenir, en union, en Totalité.

Commentaires

Cet exercice clôture le cycle s'appuyant sur les *descriptions colorées* des visions du monde et leur évolution (cf. 14, 15, 16).

En premier lieu, il incite à reconnaître toute l'évolution de la conscience du skieur à travers différents stades. Ceci permet de mieux appréhender son actuelle vision du monde et les différentes maturités de perception qui s'enchevêtrent dans celle-ci. On notera que les limites des niveaux de conscience ne sont soulignées que sur le palier orange ci-dessus, même si tous les degrés inférieurs ou plus avancés sont également empreints de leurs limites. L'accent est ici mis sur ce point afin de marquer le pivot vers la reconnaissance de la multiplicité des visions qui ne s'amorce que dans les stades ultérieurs.

Ensuite, ce chemin analytique ayant été parcouru, le pont est fait avec les autres activités hors-ski. Ceci offre un premier axe de réponse à une des questions originelles de l'ouvrage : comment porter dans le reste de la vie tous les acquis de la conscience conquis dans le cadre de la pratique du télémark ? On y retrouve l'idée que le télémark est un laboratoire privilégié pour la montée de conscience globale. Dans cette phase, il est important de noter que l'exercice n'incite pas à une action dirigée, volontaire, pour influer sur les écarts entre les différentes visions. La faculté de les reconnaître est un acquis bien supérieur. C'est en effet une des capacités de base sur lesquelles les visions au-delà du vert reposent. Il est ici proposé de les pratiquer simplement, comme tout élément d'attention.

Être sans le télémark ? (nº 18)

Que serais-tu, si tu ne pratiquais pas le télémark ? En quoi ta personne serait-elle différente, si elle ne maniait pas cet art qui peut la faire grandir ? Réalise cet exercice de pensée pour voir ce qu'il resterait de toi sans ce chemin.

Que serais-tu, si tu n'employais pas le télémark comme chemin spirituel ?

Que serais-tu, si tu n'étais pas riche du télémark pratiqué en tant qu'art ?

Que serais-tu, si ton niveau de télémark n'était que balbutiant ?

Que serais-tu, si tu n'avais jamais eu accès au télémark ou que tu ne l'avais même pas connu ?

Que serais-tu sans la montagne ?

Que serais-tu sans grand espace de nature ?

Au-delà du télémark, que serait l'ensemble de ta vision du monde sans certains courants moteurs qui la composent (cf. 17) ?

Que serais-tu sans ressentir ce besoin d'être fondamental ?

Que serais-tu sans pouvoir voir les variations dans les visions de ceux qui t'entourent ?

Que serais-tu sans une quelconque force de recherche de progrès ou de puissance qui te pousse vers l'avant ?

Que serais-tu sans liens avec d'autres, sans une appartenance à quelque communauté ?

Que serais-tu sans le minimum de force te poussant à la survie ?

Que serais-tu avec encore moins, à la frontière du minéral ?

Commentaires

Après un long chemin avec la pratique du télémark, il est bon de se demander ce que l'on serait sans elle, pour y trouver ce qui lui est propre et ce qui peut être emporté hors de la neige. C'est également un exercice intéressant que de se dépouiller de toutes les vertus dont cette pratique du télémark nous a dotés. Ceci permet d'abandonner toutes les couches de l'ego et se tourner vers l'essence de l'être. Ces exercices de pensée sont là pour nous amener à prendre conscience de ce qui resterait de fondamental au-delà des différents courants de conscience ou visions du monde qui nous structurent et nous font avancer.

FORMES DE BASE DU TÉLÉMARK ET CONSCIENCE

En explorant les principes élémentaires de la mécanique du télémark, il a été vu que se concentrer sur un nombre limité de schémas de mouvements essentiels pouvait permettre de transmettre le socle de la technique. Dans le cadre de notre pratique, nous désignerons la dynamique fondamentale au cœur de ces mouvements premiers sous le terme plus générique de *formes*. Une liste de ces formes essentielles a été présentée précédemment à travers les katas de *La Glisse intérieure* (cf. 10). Le mouvement en 8 des pieds est par exemple l'une d'elles que l'on pourra prendre comme exemple de référence pour aborder les exercices qui suivent.

Au-delà de la technique, ces *formes* sont également un outil de formation du corps et de l'esprit. Porter son attention dessus peut avoir pour effet induit d'occuper la pensée, selon un mode qui favorise l'apprentissage et le flow.

Il est même possible d'utiliser la forme encore plus avant. Une fois la forme installée dans la pratique, cela ouvre la voie à un léger changement de plan : ce qui devient l'objet de l'attention c'est la pensée dans son attention à la forme (⇨19, 20).

Il sera alors permis d'apercevoir que la forme n'est pas que le fruit de la volonté du skieur à un instant donné, mais un élément qui a sa propre consistance (⇨21). Elle fixe le savoir et donc traverse le temps en tant que support de la connaissance du télémark (⇨21 à 23).

Fort de cette approche de la forme qui va bien au-delà du simple exercice technique consciemment exécuté par le skieur, l'enjeu est de dépasser largement les méthodes de canalisation de la pensée (cf. 1, 2, 3). Passer à une absorption naturelle de la pensée sur et par ce qui est l'objet essentiel de la pratique du télémark constitue l'étape suivante (⇨24).

Ce sera alors une absorption maîtrisée, certes totale et exclusive dans la forme, mais sans que cette forme devienne tout l'univers intérieur. Bien au contraire, il s'agit de la voir évoluer pour ce qu'elle est, dévoilant ainsi l'univers plus global dans lequel elle s'inscrit.

Maintenir la concentration sur la forme (nº 19)

Réalise ton kata de télémark. Exécute la forme, de manière appliquée mais détendue.

Développe la forme en te concentrant sur le point de contact (le pied par exemple, si réalisation du mouvement en 8 du pied, cf. 9).

Répète et répète la forme, en ayant pour seule pensée l'exécution de cette forme.

Note si la pensée s'en échappe.

Observe comment la pensée s'en échappe.

Constate que la pensée s'est déportée sur d'autres choses.

Délicatement, reprends la pensée pour la reposer doucement sur l'exécution de la forme, comme si tu la tenais entre deux doigts.

Répète et répète la forme, en ayant pour seule pensée l'exécution de cette forme.

À chaque fois que la pensée s'échappe, que d'autres pensées s'invitent, réoriente paisiblement ta pensée sur l'exécution de la forme.

Sans jamais forcer, sans raidir la pensée, réoriente-la toujours, en souplesse, sur l'accomplissement de la forme.

Remarque comment, de plus en plus tôt, les pensées émergentes sont découvertes et délicatement écartées au bénéfice de la forme. Tu n'as même plus besoin de les saisir entre deux doigts. Les effleurer du bout des doigts suffit à reconcentrer la pensée exclusivement sur la réalisation de la forme.

Contemple la manière par laquelle ton exercice est passé de l'exécution d'un mouvement dans le monde physique à un travail de la pensée.

La forme retient la pensée. Si la pensée s'échappe de la forme, la forme récupère la pensée.

La pensée est entre les mains de la forme.

Commentaires

La répétition de la forme était précédemment l'activité principale. Elle avait pour effet induit d'occuper de manière exclusive la pensée et de libérer les capacités d'écoute au profit de son exécution et son perfectionnement automatique (cf. 2, 3). Maintenant, c'est la pensée qui devient l'objet de l'exercice lui-même. Ce premier exercice marque le début d'une transition des exercices physiques à des exercices intérieurs.

Cette étape s'appuie fidèlement sur le principe premier d'écoute et d'attention, guidant l'ensemble de la démarche. Pour l'instant, il ne s'agit ici que d'observer ce qui interfère dans la pensée, comment les pensées se forment et à quel point cela constitue une matière malléable. La forme reste encore le principal outil pour les encadrer strictement.

Polir la concentration sur la forme (nº 20)

Réalise ton kata de télémark. Exécute la forme, de manière appliquée mais détendue.

Développe la forme en te concentrant sur le point de contact (le pied en général ou autre en fonction du kata).

Répète et répète la forme, en ayant pour seule pensée l'exécution de cette forme.

Maintiens la concentration sur la forme (cf. 19).

Observe comme la pensée s'échappe peu, comme elle est ramenée subtilement à l'exécution de la forme au plus tôt.

La pensée reste dans la forme, comme si tu la tenais presque dans tes mains. Elle ondule, mais ne s'échappe plus.

Tu sens les ondulations de la pensée, ses rugosités, ses brèches, ses résistances…

Observe-les et, délicatement, juste en en étant conscient, atténue-les.

Parachève la texture de la pensée.

Écoute chaque aspérité naissante de la pensée, chacune de ses bosselures émergentes.

Polis la surface de la pensée.

Maintiens-la délicatement concentrée en travaillant sa surface, sans l'étouffer.

Observe cette force ferme qui permet de la maintenir dans cet état. Constate qu'il existe une volonté pouvant efficacement enchâsser le joyau de la pensée.

Contemple la profondeur immense, perceptible sous cette surface maintenant polie, et sa solidité.

Le flux de la pensée dynamique est modelé par l'attention, avec l'aide de la forme.

Commentaires

La matière malléable de la pensée commence à être travaillée délicatement dans cet exercice. La forme joue le rôle d'un étau. La pensée est une pierre brute dans cet étau. Elle est polie par l'outil de l'attention. La pensée est une chose difficile à manipuler. Quand on la tient enfin entre ses mains, il faut le faire avec délicatesse, ne pas trop appuyer dessus, la laisser respirer.

Ce niveau d'exercice permet de prendre conscience d'un *quelque chose* en mesure de dominer la pensée, de la travailler. Autant la pensée avait déjà été contrôlée dans des exercices précédents, mais principalement par des subterfuges. En effet, la pensée elle-même peut être l'objet de l'attention, de la conscience. Se met alors en place une écoute, une visualisation des contours de la pensée qui par le seul fait d'exister va agir sur sa forme.

Une intensité et une pureté nouvelles de la concentration peuvent même éventuellement être expérimentées, conduisant dès maintenant au jaillissement d'une joie profonde.

Pour porter cet exercice hors-ski, l'exécution d'une forme peut être remplacée par la respiration. Le serrage de cet étau est cependant moins puissant et demande donc plus d'expérience.

Écouter la forme pour ce qu'elle est (nº 21)

Réalise ton kata de télémark. Exécute la forme, de manière appliquée mais détendue.

Développe la forme en te concentrant sur le point de contact (le pied en général ou autre en fonction du kata).

Répète et répète la forme, en ayant pour seule pensée l'exécution de cette forme.

Maintiens la concentration sur la forme (cf. 19).

Apprécie comme la pensée est à nouveau subtilement amenée à l'exécution de la forme, au plus tôt.

Polis la concentration sur cette forme (cf. 20).

Contemple comme le flux de la pensée dynamique est modelé par l'attention, avec l'aide de la forme.

À travers et au-delà de la surface de la pensée, considère la forme.

Vois la forme s'exécuter.

Ne concentre pas ton attention sur sa décomposition ou l'obtention de quelque effet.

Perçois simplement la forme dans son exécution.

La forme n'est plus un mouvement que le corps ou la pensée exécutent, la forme Est par elle-même.

La pensée est dédiée à la forme, elle ne fait qu'un avec la forme.

Contemple ce double objet forme-pensée dans sa totalité.

Polis-le dans son unicité.

Admire le tout qui contient la pensée et la forme.

L'exécution de la forme n'est pas imposée au corps. Un carcan n'est pas imposé à la pensée. La forme Est.

Commentaires

En mettant à profit la progression des exercices précédents, l'attention, qui commençait à saisir la pensée, plonge plus en profondeur pour retrouver la forme et se confronter à l'unicité de l'ensemble. Nous avions auparavant pris conscience des contours de la pensée et de la volonté qui pouvait la contenir. Nous allons ici encore plus loin vers la pureté de cette conscience en la portant sur une globalité, celle de l'attention elle-même à la pensée et la forme.

On ne se concentre nullement à reproduire la forme, car cela se passe déjà dans un état d'attention relâchée. On perçoit directement la forme dans son exécution. Il y a un changement de paradigme sur le principe même de l'ego, une réflexion. Je n'impose pas la forme au corps, la forme *Est* par elle-même.

Avec la pratique, l'accès à cet exercice se fera immédiatement à son étape la plus avancée de la pure observation de l'*Essence* de la forme.

Observer la forme traverser le temps (nº 22)

En descente, maintiens la concentration sur la forme (cf. 19).

Polis la concentration sur cette forme (cf. 20).

Écoute la forme (cf. 21).

Perçois la forme dans son exécution. Observe la forme qui est déployée et Est par elle-même.

Arrête-toi (par exemple à la fin de la piste).

Constate alors que la forme est toujours là. Son mouvement, son rythme sont toujours là intérieurement, même si tu ne descends plus la pente.

Constate que la pensée reste dédiée à la forme. Bien que tu sois à l'arrêt, la forme s'exécute toujours unie dans le corps et la pensée. Tu peux encore en suivre tout le mouvement à travers le corps et ta pensée y reste unie.

Même si le mouvement n'est plus exécuté, la dynamique de la forme reste présente dans son entièreté.

Note que cette expression, cette vibration de la forme ne diminue pas en intensité. Elle reste intacte.

La forme ne disparaît pas, mais elle s'éloigne du champ présent et d'autres pensées viennent remplir l'espace. Son intensité reste intacte, mais elle s'éloigne de nos yeux présents.

La forme sort du temps présent, mais se conserve en totalité.

Commentaires

Cet exercice complète l'observation de la pure essence de la forme (cf. 21). Ce qui est ici regardé de manière plus particulière, c'est la persistance de la forme au-delà de son exécution. La forme ne s'oublie pas, elle est profondément ancrée. Elle a une existence propre qui se conserve hors du temps.

Laisser la forme réémerger (nº 23)

En descente, amorce la forme.

Observe la forme se mettre en place progressivement ou instantanément.

Toutes les composantes de la forme s'assemblent et se déploient, dans le corps et dans la pensée.

Lors de cette mise en place de la forme, admire comme chaque composante trouve sa place, s'ajuste par rapport aux autres.

Note que ce n'est pas le fruit d'une réflexion, mais que chacun des éléments sait trouver sa place par rapport aux autres de manière autonome.

Constate l'émergence de quelque chose d'harmonisé, de complet, de la totalité d'une forme.

Reconnais la plénitude de cette forme. Ressens sa consistance et ses oscillations qui embarquent le corps et la pensée dans une unicité.

Quand tu polis cette forme (cf. 20), tu retrouves sous la main de ton attention tous les sillons, tout le grain de ce que tu polissais déjà précédemment.

Reconnais que la forme qui a émergé et est présente dans l'instant est celle que tu connais déjà. C'est donc une réémergence de la forme.

Exerce ton attention à observer les réémergences des formes dans leur totalité lors de la descente.

La totalité de la forme est hors du temps et réémerge dans le temps.

Commentaires

Cet exercice complète l'observation de la pure essence de la forme (cf. 21) et en particulier de sa persistance (cf. 22). Il met particulièrement en valeur la capacité de la forme à traverser le temps en réémergeant intacte. Les étapes précédentes centrées sur l'instant de l'émergence, du déploiement et de l'éloignement de la forme sont des fondements préparatoires à une autre perception du temps (⇨30).

Accéder au cœur de la forme et observer l'espace qui sertit la forme (nº 24)

Réalise ton kata de télémark, exécute la forme, de manière appliquée mais détendue.

Développe la forme en te concentrant sur le point de contact (le pied en général ou autre en fonction du kata).

Répète et répète la forme, en ayant pour seule pensée l'exécution de cette forme.

Maintiens la concentration sur la forme (cf. 19).

Apprécie comme la pensée est à nouveau subtilement amenée à l'exécution de la forme au plus tôt.

Polis la concentration sur cette forme (cf. 20).

Alors que tu polis la surface de la pensée et de la forme, que tout est concentré dessus, note que seule cette surface existe dans ta pensée.

Ta pensée est pure et n'est que cela. Elle est libérée de tout frottement dans le déploiement de la forme.

Ta pensée n'a pas à lutter pour maintenir la forme, ne rencontre plus de résistance, s'écoule comme dans un milieu sans viscosité, car elle est parfaitement polie.

Perçois que la forme-pensée flotte au milieu d'un espace immense dans lequel elle reste librement concentrée sans effort et sans s'y disperser.

Les contours parfaits de la forme-pensée que tu peux appréhender constituent aussi par complémentarité les contours intérieurs de l'espace qui l'entoure. Apprécier la perfection de la forme-pensée, c'est aussi regarder le creux créé par celle-ci dans cet espace.

Prends conscience que l'exécution de la forme te permet d'accéder de manière synthétique et directe à ce niveau de concentration unifié de la pensée et du corps.

À la fin de la descente, constate comme l'ensemble de la pensée dédiée à la forme a été purifié de toutes autres considérations et perturbations (⇨20).

La concentration de la pensée t'est directement accessible, sans subterfuges ou artifices. La concentration de la pensée t'est directement accessible par l'exécution de la forme.

Commentaires

Cet exercice clôture une étape du travail sur la forme. Celui-ci a fait le nettoyage dans la pensée et il a également permis d'installer un état de clarté de la pensée relativement stable et résilient. Avec la pratique, cet état devient accessible de plus en plus rapidement et directement. On arrive donc par cette approche au même résultat que toutes les techniques qui visaient à mettre de côté la pensée. Le mental discursif est en effet endigué, d'abord en le focalisant sur la répétition, puis en effaçant ses autres activités, créant ainsi un état de grande stabilité et de quiétude. En se reposant sur ce joyau qu'est la pratique du télémark, tout cela s'accède directement, avec confiance et la certitude d'être atteint. C'est une approche bien différente et plus puissante que celle s'appuyant sur de multiples subterfuges et artifices visant à capter la pensée (cf. 1).

Alors que les cheminements usuels autour de cette canalisation de la pensée mettent en évidence le vide créé, cet exercice souligne au contraire l'immensité d'un espace non occupé dans l'instant par la pensée. C'est-à-dire que là où d'autres voient le vide, il nous incite à voir le plein. Certes, cet espace n'emplit pas l'instant présent et la pensée, mais il contient une énergie inhérente. À explorer ! (⇨25)

Sur le souffle

Les deux *f* du flow et de la forme se retrouvent dans le souffle. En effet, le rythme de l'exécution des formes est intimement lié à celui de la respiration. Par ailleurs, les étapes précédentes nous ont permis de découvrir une certaine quiétude ressentie à la sortie d'états d'attention focalisés qui nous ont libérés de toutes autres préoccupations. Hors de ces flux de pensée, notre attention peut alors véritablement *respirer*.

Cette quiétude n'apparaît encore que comme un simple corollaire de l'espace intérieur libéré. Pourtant, il y a au cœur de l'expérience une *joie* plus fondamentale sur laquelle se reposer directement. Celle-ci peut servir de support à l'attention, à la descente, devenir l'objet que l'on skie (⇨25). Voilà enfin quelque chose de tangible à emmener au-delà des pistes (⇨26) ! La respiration offre alors une base matérielle permettant de recueillir cette joie (⇨27).

Un souffle d'une autre ampleur nous entoure également (⇨28). Celui-ci soutient le monde et nous en sommes nous-mêmes le fruit. Il peut aussi être un support à notre descente en télémark, il peut nous porter (⇨29).

Une joie fondamentale s'appuyant sur la respiration et un Souffle du Monde sur lesquels nous pouvons tous les deux skier ; serait-ce un seul et unique Souffle (⇨44) ?

Saisir la joie de la descente (n° 25)

En haut de toute pente, prépare-toi à la descente (vérification du matériel...) en commençant à écouter ta respiration.

Lorsque tout est prêt pour démarrer, positionne-toi et attends en écoutant ta respiration.

Note les cycles d'inspiration et d'expiration. Note leur profondeur.

Note comme tu es suspendu entre la fin d'une expiration et le début d'une inspiration. Admire ce point de repos et d'équilibre. Fais de même entre une inspiration et le début d'une expiration.

Ne regarde et n'écoute que le cycle des respirations.

Ton esprit est totalement libre de pensées. Seule la paisible joie primordiale est là.

Il est prêt à être offert à la pente.

Ne regarde et n'écoute que le cycle des respirations, jusqu'à ce que surgisse l'impulsion de s'engager dans la pente. Celle-ci ne vient pas de tes pensées, mais de la profondeur située entre une expiration et une inspiration.

Pousse pour démarrer. Lance-toi dans la pente.

Sur les premiers instants de glisse, lève et écarte largement tes bras pour t'emplir d'une grande inspiration profonde au maximum de tes capacités d'emport d'air.

Expire cet air doucement, très régulièrement et lors de cette expiration, repose délicatement ton esprit libre de toutes pensées et ton corps libre de toutes tensions externes sur la joie primordiale.

À la fin de cette expiration, ta respiration, ton esprit, tout ton être s'appuient solidement sur la joie, axe de concentration totale dans la pente.

Enchaîne ensuite des respirations en adéquation avec l'engagement requis par cette pente. Toutes ces respirations s'enroulent alors autour de cet axe de concentration dans la descente et le renforcent.

Commentaires

Cet exercice couvre deux points essentiels du début de descente.

En premier lieu, on ne se jette pas dans une pente en poursuivant un objectif ou une idée particulière. L'intentionnalité est tout d'abord purifiée, de sorte que l'engagement initial dans la descente se fait libre de pensées spécifiques. Il vient des tripes ou du cœur et non de l'intellect.

Puis, il est décrit comment l'on arrive systématiquement à rentrer dans l'état de concentration propre à la descente, à le saisir. C'est une mise dans le flow, guidée par la respiration. C'est ensuite avec le souffle pour support que cet état de concentration exclusif mais sans tension se conserve tout au long de la descente. Le point clé étant in fine que le véritable objet sur lequel glissent les skis est la joie primordiale, plus que la neige.

Cet exercice peut être pratiqué en lien avec celui de centrage en équilibre sur le temps (⇨35). Puis, l'ancrage dans la joie de la descente s'approfondira dans une écoute intégrale du corps. Bien loin du mécanisme de flow, qui ne touche qu'à la superficialité et resserre le fait d'être sur une intention exclusive, c'est un *Être* intégral étendu dans le télémark qui s'exprimera dans la descente.

Rester dans le calme et l'équilibre de la fin de descente (nº 26)

Descends une pente.

Dès que tu arrives à l'extrémité de celle-ci et que tu réalises ton arrêt final, reporte toute ton attention exclusivement sur la respiration.

Ne cherche pas à contrôler ou ralentir ta respiration, laisse-la s'exprimer à son rythme.

Soit dans la pure expérience de ta respiration.

Laisse toutes les éventuelles tensions formées lors de la descente se délier.

Toute ta piste se résume dans ta respiration, sans que tu aies besoin de consciemment revenir à celle-ci.

Ne porte pas de jugement sur l'exécution de ta piste ou tes capacités à descendre. La simple expérience suffit.

Note éventuellement la manière dont la forme traverse le temps (cf. 22).

Remarque comme l'impulsion initiale (cf.25) s'est largement consumée.

Constate que tu es à l'équilibre entre la dynamique de la descente et l'arrêt, entre deux formes de temporalité : l'une absorbée dans la descente et l'autre dans la liberté. Tu es à l'équilibre de l'espace et du temps, en un point qui est à la fois le cœur du temps et la porte hors du temps (⇨35).

Quand ta pensée s'échappera vers la suite, au-delà de la piste, abandonne toute volonté d'emprise sur le futur et retourne à la respiration pour noter comme elle a évolué.

Observe les différentes impulsions se présenter dans cet espace vierge de ta pensée pour t'emmener vers les actions suivantes (prendre une remontée, passer à une prochaine piste, ou faire telle ou telle chose hors-ski...).

On peut conserver ce vide de pensées, pourtant plein de présence.

Emporte cette paix, ce calme, au-delà du bas de la piste.

Commentaires

La stabilité qu'on acquiert en fin de piste, à l'équilibre entre le don total à la descente et toutes les tensions futures, est l'objet de cet exercice. Il vise à développer notre capacité à perpétuer cet équilibre au-delà du télémark. La fin de piste est une mini-expérience récurrente, de ce que sera le retour aux autres contingences de la réalité, à l'issue de journée de télémark, de la session ou des congés, de la saison... À toutes ces échelles de temps, il faudra adopter la même attitude.

Emporter la quiétude de la descente (nº 27)

Reste dans le calme et l'équilibre de la fin de descente (cf. 26).

Garde la respiration et la pureté de ce que la descente a clarifié.

Tiens dans tes mains cette quiétude, porte-la dans ton souffle, fais-la glisser sur tes skis.

Avance vers la remontée, en restant concentré sur la seule respiration qui porte cette quiétude.

Si tu dois faire une action pour prendre la remontée, que ce ne soit pas l'occasion de perdre la quiétude. Dès que cette action se conclut, prends l'habitude de revenir aussitôt à la respiration et la préservation de cette quiétude (par exemple comme un réflexe à l'abaissement du garde-corps d'un télésiège).

Repose-toi sur la seule respiration tout au long de la remontée, afin de rester dans cet état de quiétude.

Il n'y a rien à faire d'autre que de la conserver en écoutant la respiration.

Commentaires

Dans de nombreuses traditions, le souffle est un support qui permet d'arriver à la quiétude. Ici, il est employé de la même manière pour recueillir l'état d'équilibre obtenu à la fin de la descente et le perpétuer aussi longtemps que possible.

Voir le Souffle du Monde (n° 28)

Repose-toi sur la base de la quiétude apportée par la descente (cf. 26, 27).

Observe l'eau qui t'entoure sous toutes ses formes : neige, ruisseaux, vapeur du souffle. Contemple comment ses molécules s'unissent et s'agitent pour passer d'un état à l'autre.

Suis ce grand cycle de l'eau : la neige qui se dépose, qui se transforme en différents solides, qui fond et rejoint le sol, puis les rivières, lacs et océans ; qui passe à travers les êtres vivants ; qui s'évapore à nouveau pour revenir sur les montagnes. Reconnais-y le moteur d'un souffle planétaire.

Note la brise qui caresse ton visage ou le vent qui le bat.

Observe le mouvement des flocons ou des cristaux arrachés par le vent.

Contemple toutes les échelles de ce souffle qui t'entoure. Observe les plis et les failles géologiques visibles dans la structure des montagnes. Admire la courbe formée par les sommets. Suis les courbes plus fines des pentes ou pistes de descente à ski qui sont l'alliance de la structure géologique et de la neige.

Décèle les traces de la vie végétale, forêts ou simples lichens en fonction de l'altitude. Admire comme elles envahissent tout l'espace, leur développement étant poussé par le même souffle fondamental.

Apprécie le mouvement des arbres qui ondulent portés par le souffle du vent.

Décèle les traces de la faune, dont les empreintes, telles des lignes de niveau dans le paysage de neige, dessinent une autre couche d'activités très fine au-dessus des sphères géologiques et végétales.

Admire le mouvement des skieurs sur les pentes, les vagues qu'ils constituent.

Là encore, leur mouvement à toutes les échelles (descente d'une piste, mouvement vers les montagnes...) trouve sa source dans un même souffle initial.

In fine, note l'ensemble de ces mouvements, quelle que soit leur échelle, quelle que soit leur permanence. Reconnais qu'un même souffle fondamental les anime.

Reconnais le Souffle du Monde qui t'entoure.

Commentaires

Dans un esprit que la descente a disposé à une observation pure (cf. 26, 27), l'Esprit qui anime le monde peut être directement perçu dans sa totale réalité et sa réelle totalité. Il suffit de s'abandonner à la fascination du Souffle qui pousse toute chose de ce monde en Avant.

Être porté par le Souffle (nº 29)

Repose-toi sur la quiétude (cf. 27).

Tourne-toi vers ta respiration.

Admire chaque inspiration.

Chaque inspiration t'emplit d'un air nouveau.

Chaque inspiration t'étend, et ce, dans toutes les dimensions.

Chaque inspiration te dilate, te rend léger.

Chaque inspiration te fait monter dans l'air et amplifie la joie.

Tu n'es que souffle.

Ton corps enveloppe ce souffle, mais c'est le souffle qui porte à lui seul tout ton corps.

Tes émotions sont des vibrations particulières de ce souffle.

Tes pensées sont initiées et ravivées comme des braises par ce souffle.

Ton enveloppe corporelle, tes émotions et tes pensées ne sont qu'une fine étoffe soulevée et animée par ce souffle. Elles sont la forme que prend le souffle invisible quand il anime la matière.

Tu ressens désormais le souffle en toi, plus que l'étoffe que ce souffle fait onduler.

La seule vraie force est celle du souffle primordial.

À l'origine et en premier lieu, tu es Souffle, force d'Évolution.

Ce souffle anime aussi ta descente.

Trouve-le et emmène-le dans la descente.

Ta descente est la forme que prend ce souffle à travers la neige. De même que le vent soulève et sculpte la neige, tu es l'expression du souffle qui sculpte la neige de la pente.

Commentaires

Bien que partant d'un simple exercice de respiration, l'enjeu est ici de percevoir que nous ne sommes que le fruit de la force d'Évolution qui sculpte le Monde. Nous ne sommes pas une entité indépendante du reste du Monde. Même si cette approche sera initiée hors-ski, elle pourra très bien être portée sur les skis, à l'occasion des montées, mais également en descente. Alors, ce ne sera plus le skieur qui skiera, mais le souffle primordial qui formera le mouvement du skieur et tout ce qui l'entoure.

AU-DELÀ DU TEMPS

Le travail sur la forme nous a laissés à la porte du temps. Déjà, nous avons pu déceler une persistance de celle-ci au-delà de son exécution (cf. 22) et une capacité de celle-ci à traverser le temps en réémergeant intacte (cf. 23). Ces précédents exercices d'observation centrée sur l'instant de l'émergence, du déploiement et de l'éloignement de la forme sont des fondements préparatoires à une autre perception du temps (⇨30). Le parcours évolutionnaire (cf. 15, 16, 17) nous a également enseigné que nous étions mus par différentes visions du monde. Elles constituent autant de lignes directrices de notre action et donc de la manière dont nous traversons le temps. Enfin, en reposant sur le souffle, nous nous sommes aussi retrouvés dans un équilibre subtil par rapport au temps (cf. 26).

Ces trois voies d'approche (forme, évolution, souffle) nous donnent accès à la possibilité d'une autre perception de la structure de l'écoulement de notre temps intérieur. Elles nous ont permis de commencer à démêler les fils du temps. Ce chemin peut encore être approfondi pour découvrir ce qui forme la trame dense de notre temps (⇨30), s'en extraire (⇨31) et prendre de la hauteur par rapport à celle-ci (⇨32, 33). Il faut alors trouver un point d'équilibre hors des multiples lignes de causalité (⇨35). De ce promontoire, il s'agira d'observer le paysage de la *causalité*, c'est-à-dire toutes ces lignes qui font la trame causale de notre temps. Quand chacune de ces lignes peut être perçue dans sa totalité (passé, futur et caractéristiques de son déploiement) et se distingue comme un élément de ce paysage, il devient possible de voir la structure de notre temps intérieur à différentes échelles. Il se présente alors tel un terrain dans lequel on peut naviguer, voire sur lequel on peut directement skier (⇨37).

Bien que ce terrain soit très personnel par nature, peut-être existe-t-il aussi un moyen de l'unir à quelque chose de plus vaste. Si oui, cette union devra prendre en compte son caractère personnel (⇨45).

Entrevoir la trame des lignes du temps (nº 30)

En descente, maintiens et polis la concentration sur une forme. Écoute cette forme qui Est par elle-même (cf. 21).

À tout moment de la descente, tu es en train d'aller puiser dans la bibliothèque des formes pour les déployer dans l'instant (cf. 23).

À tout moment de la descente, tu es également en train de parfaire la connaissance et la maîtrise d'une forme qui va ressortir du temps présent pour être ensuite à nouveau disponible dans l'avenir (cf. 22).

Prête attention au point de passage où tu te trouves : un point où une forme arrive et d'où elle repart.

Note comment de ce point arrivent et partent simultanément plusieurs natures de formes. C'est d'ailleurs le seul endroit où elles peuvent se combiner et interagir pour se perfectionner ou pour évoluer en une forme d'ordre supérieur.

De ce point, note l'enchevêtrement des lignes avec celle du temps linéaire de la descente. Plusieurs temps, sur plusieurs échelles, se rencontrent en ce point.

Alors que tu multiplies les descentes, observe comme deux points de deux descentes distinctes peuvent être plus proches entre eux que deux points successifs d'une même descente. Les mêmes lignes de formes les traversent et créent des chemins bien plus directs entre eux que la conception linéaire du temps ne peut le faire.

Apprécie comme les liens créés par les formes à travers le temps peuvent être plus ou moins robustes, comme ils peuvent primer en certains points sur le seul écoulement linéaire du temps.

Perçois que la structure du temps n'est pas un fil unique, mais une trame tissée de fils de différentes matières qui ont chacune leur résistance et conductivité propre. Perçois également comme cette trame se replie sur elle-même.

De cette trame, tu ne peux voir qu'un point à la fois, un point en lequel plusieurs fils se croisent.

Commentaires

Cet exercice marque la transition entre le travail sur la forme unitaire et son placement dans le temps, dans toutes les dimensions du temps. Il permet, en s'appuyant sur les étapes antérieures sur les formes (cf. 19 à 24), de commencer à percevoir que le temps n'est pas qu'une flèche immuable s'étendant entre le passé et le futur. Des éléments sortent et reviennent de cette perspective linéaire, interagissent avec elle différemment, se placent hors du temps ou prennent des chemins alternatifs... Le skieur peut donc aborder la descente, pas uniquement à la manière d'une succession de mouvements conditionnant les mouvements suivants, mais également puiser dans des ressources en dehors de cette linéarité (ou du moins à une autre échelle). Il peut progressivement en l'expérimentant ne plus comprendre le temps comme *la piste d'hier, la piste d'aujourd'hui, la piste de demain.* Mais il les perçoit plutôt tel un tout, une intégralité de toutes les pistes bien plus reliées par ce qui les traverse que ce qui les enchaîne.

S'extraire des fils du temps (nº 31)

Au matin, marche vers le début des pistes.

Alors que tu marches, note tout ce qui t'entraîne ou te retient. Observe tous les ressentis corporels ou intérieurs qui te poussent ou te tirent vers le télémark ou loin de lui. Prête attention à ton humeur, à ta forme physique comme ta forme mentale. Sans chercher à l'analyser, note l'emprise de la trame des motivations, contraintes, désirs, conventions, perceptions du monde qui influent sur ton état d'esprit et tes actions. Reconnais la présence dans ton corps et ta pensée de toutes ces lignes de force et de tension, comme des fils qui se croisent en et autour de toi.

Au bas des pistes, prépare ton matériel et séquence ton échauffement préparatoire en suivant toujours les mêmes étapes, comme un rituel (cf. 13).

Sers-toi de ton échauffement physique, de chacun de ces exercices, pour agir sur les fils qui se croisent en toi.

Commence par les mouvements les plus légers destinés à simplement réveiller quelques articulations sans les brusquer, telles que des rotations du cou ou des poignets. Par ces mouvements, démêle les fils qui t'enserrent.

Poursuis par les exercices qui te font porter les extrémités des bras et jambes le plus loin de ton corps (extension, étirements, rotation des bras…). Grâce à eux, repousse ces fils, dégage-toi un espace hors de la nasse qu'ils créent.

Ensuite, passe aux exercices qui exercent les plus fortes pressions, mais de manière encore relativement lente, tels que les génuflexions et descentes sur les cuisses. Grâce à la force qu'ils mobilisent, broie ces fils avec tes pieds et la force de toutes tes jambes.

Les mouvements rapides, des jambes notamment, font suite. Maintenant que les membres ont été réchauffés, ces exercices viennent réveiller toute la tonicité des liaisons nerveuses en continuant à augmenter la chaleur des muscles. Avec leur aide, cisaille, découpe, tranche tous ces fils à proximité.

Conclus par les exercices les plus proches du centre de gravité (par exemple, des rotations autour du bassin). Ceci te permet de t'assurer qu'il est libre de tout mouvement, que plus aucun fil ne t'enserre encore, que plus aucune tension n'entrave son déplacement.

Au cours de ces exercices, constate l'allégement progressif des tensions. Si un nouveau fil s'invite dans la pensée lors de ces exercices préparatoires, sers-toi du mouvement suivant pour l'écarter aussitôt.

À l'issue de l'échauffement, tu es libéré des fils qui t'entravaient. Tu es entièrement disponible pour la pratique du télémark.

Fait perdurer cet état en te gardant de nouvelles entraves (⇨37).

Commentaires

Cet exercice permet de s'extraire des contraintes du temps, de la causalité et de toutes les tensions, quelle que soit leur nature. Il combine pour ce faire deux approches complémentaires.

En premier lieu, il se propose de déchirer et écarter les différentes lignes de tension, de pensées qui occupent l'intellect, en les travaillant directement.

Il incite également à l'instauration d'un rituel : fixer l'ordre des étapes d'échauffement ainsi que le lieu où on le fait (bas ou haut des pistes au choix), etc. La caractéristique propre d'un rituel est de permettre par la réalisation d'actions sans fonction utilitaire de se placer hors du temps. Ici, l'échauffement qui sert de base au séquencement de ce rituel a certes une fonction utilitaire en préparant le corps à l'effort. Mais en partie seulement, car en l'exécutant de la façon proposée, il prend d'autres dimensions complémentaires allant bien au-delà.

Briser spontanément le cours causal du temps (nº 32)

Inventorie toutes les trames causales récurrentes ou permanentes dans lesquelles ta pratique du télémark s'enchevêtre.

Note la répétition des lieux où tu skies.

Note la redondance des trajets que tu suis dans les montagnes.

Note la répétitivité dans l'exécution de tes descentes.

Note la routine de l'organisation de tes journées de télémark.

Note la récurrence de tes relations sociales autour du télémark.

Note le retour permanent de tes pensées et attitudes, comme elles sont occupées et fidèles à maintenir toujours la répétition des mêmes enchaînements de la causalité.

De toutes ces trames de causalité, tu dois créer des opportunités de sortie.

Brise spontanément, à l'improviste, ce canevas.

Change d'endroit, fais le tour des stations et des vallées, sors de tes sentiers de télémark habituels.

Prends une route à gauche ou à droite, juste parce qu'elle est là. Va trouver la neige au bout.

Hors de toute logique, instinctivement, prends la ligne de descente comme tu ne l'aurais pas prise.

Libère ta journée de télémark de toute notion d'horaires, de toute durée à maîtriser.

Échange naturellement avec les personnes que tu croises sur les pistes : « Bonne journée, n'est-ce pas ? Vous êtes du coin ? »

Ne cherche pas à influer sur tes pensées. Au contraire, apprécie comme elles s'enroulent autrement lorsque ces ruptures de causalité spontanées se produisent et se déploient.

Ne lâche pas une cordelette de la causalité pour te saisir de deux nouvelles chaînes ! Quand tu sors d'un courant, apprends à te laisser aller sur la berge sans replonger dans des courants plus forts.

Lâche prise de toute tentation de reproduire, reproduire et reproduire les mêmes trajectoires.

Commentaires

Cet exercice vise à secouer et ouvrir les lignes de la causalité et du temps. Il s'agit de créer de l'imprévu, en faisant un pas de côté par rapport aux trames de la causalité. Pour ce faire, en premier lieu, il faut reconnaître les enchaînements causaux, ces chemins dans lesquels nous sommes pris. Ensuite, il est nécessaire de générer des opportunités de sortir de cette trame en optant pour un tournant imprévu, initiant une relation dont on n'attend rien, portant le regard où l'on ne le porte jamais… Le plus difficile sera de ne pas aussitôt repartir dans la même causalité, mais de laisser suffisamment d'ouverture pour que d'autres lignes de causalité puissent être rencontrées.

S'arrêter sur le chemin du temps (nº 33)

Suspends le cours du temps pendant une journée complète. Romps toute la trame de ce que tu poursuis et de ce qui te poursuit pendant un jour entier.

Dans cette journée, ne traite aucun projet, aucun travail, aucune communication ou échange. Ne construis rien, ne consomme que le strict nécessaire.

N'occupe aucun moment de cette journée à prévoir ou planifier pour le futur. Ne consacre pas de temps non plus à revoir le passé.

Qu'une journée soit vraiment hors du temps. Laisse toutes tes activités un soir et reprends-les le surlendemain au matin. Que toutes les causalités externes soient interrompues pendant une seule journée.

Qu'un jour soit pleinement hors du temps, hors de toutes les autres trames du temps !

Peux-tu vraiment le faire ?

Tous les objectifs liés de près ou de loin au télémark doivent également être exclus de cette journée !

Alors, si tu peux ainsi laisser se dérouler une journée hors de tout, tu peux y replacer le télémark. Mais juste le télémark ! Le télémark dans son exécution, sans aller chercher sur les pistes quelque perfectionnement, quelque lieu particulier ou courir après tout autre désir. Cela ne doit être qu'un jour suspendu, hors de tout, sur les skis.

Ne te sers pas du télémark pour remplir ce que tu as vidé.

Ta seule décision sera de choisir ta paire de skis en fonction des conditions du jour. Et ce ne sera pas une décision, mais une évidence instinctive.

Qu'un seul jour sur les skis soit pleinement hors du temps !

Si, une seule fois, tu peux réellement sortir un jour en télémark du cours du temps, d'autres jours en montagne (voire tous ?) ne peuvent-ils pas être sortis du temps également ?

Ouvre-toi à la rencontre qui s'opère entre les espaces que tu laisses sortir du temps : ceux de la journée, de l'heure et de l'instant.

Commentaires

Après avoir pris l'habitude de secouer les lignes de la causalité dans l'exercice précédent, il s'agit ici de les couper ou les suspendre, l'espace d'une journée. (Dans le monde actuel, cela pourrait être un obstacle infranchissable pour certains que de tout interrompre aussi longtemps !) Cet exercice va plus avant dans le fait de briser les lignes de la causalité et commence également à les ralentir. Il permet de prendre de la distance par rapport au temps usuel.

Ce n'est pas juste un jour sans travail qui serait rempli d'activités de loisir, en l'occurrence le télémark. Il est hors du temps. Ce n'est que quand on sait pleinement sortir un jour de la trame et se livrer au vide et à l'ouverture qu'il autorise que l'on peut envisager de le passer sur les skis. Il s'agit bien d'y être sur les skis (concomitance) et non de le dédier au ski (occupé par).

Si un tel jour peut être difficilement libéré, pourquoi y laisser alors revenir le télémark ? Pour faire se rejoindre ces deux laboratoires hors du temps : celui à l'échelle de la journée et celui à l'échelle de la descente ou de l'instant. Ensuite, la conscience doit juste être attentive à cette rencontre.

Atteindre la source au-delà du temps ? (nº 34)

Choisis une pente d'un bon niveau, suffisamment engagée et permettant une bonne vitesse, mais qui ne te poussera pas dans tes retranchements techniques, de sorte que la zone du flow puisse y être atteinte sans difficulté.

Livre-toi à la pente.

Apprécie comme tous les virages sont instantanément exécutés, comme chaque prise de carre est automatiquement assurée, comme chaque mouvement précis apparaît instinctivement ; tout cela sans aucune réflexion.

Reconnais que c'est le pur instinct qui est à l'œuvre. Le télémark est un exercice qui te met constamment en contact avec l'instinct.

L'accumulation, la synthèse de toutes tes connaissances et expériences de la pratique du télémark peut être instantanément délivrée et mise en œuvre dans un seul flash de l'instinct.

La source de l'instinct est la porte vers la connaissance intemporelle.

Sonder la profondeur de cette source, chercher à remonter le cours du fluide qu'elle délivre toujours plus en amont est une entreprise qui mène à une paroi infranchissable. Par nature, chercher dans ce qui ne relève pas d'un lien causal avec les yeux de la causalité est une voie sans issue.

Admets que tu ne peux t'évertuer à rechercher les causes de ce qui n'a pas de sens temporel. Quelle que soit l'acuité de ton attention, tu ne pourras voir la source de ce qui n'est pas du domaine du visible.

Et pourtant, à plusieurs dizaines de kilomètres par heure, accroché par une ou deux lames à des parois glacées et accidentées, surplombant des pentes de plusieurs centaines de mètres, tu t'y remets totalement en pleine confiance...

La recherche est vaine, car tout est déjà là qui te maintient en équilibre et te guide en confiance.

Abandonne-toi à la source de la confiance.

Commentaires

Alors que les exercices précédents œuvraient à déstructurer le temps, celui-ci nous arrête net dans une recherche plus en amont de l'intemporel. En effet, c'est la méthode même de recherche qui pose question. Elle aussi doit se défaire de toutes considérations causales. Chercher à remonter à la source de l'instinct est une approche trop logique, intrinsèquement basée sur la causalité.

Or, dans le télémark, nous baignons dans une réaction de l'instinct permanente. C'est peut-être justement le moment où nous sommes le plus libéré des grandes trames de la causalité. Il faut cependant reconnaître que nous tenons en équilibre dans la pente grâce à une force s'exerçant sur nous et se situant au-delà du temporel. Notre modeste échelle ne nous permet pas d'accéder directement à celle-ci, mais elle est pourtant bien continuellement présente.

Il devient alors à la fois simple et extrêmement difficile de s'y remettre en totalité. Simple, car tout est là et a toujours été là. Extrêmement difficile, parce qu'il s'agit d'un point de métamorphose demandant le renouvellement de multiples fondements de notre vision du monde, de l'ego, du temps... À l'issue de cette métamorphose, il va falloir retrouver une nouvelle forme d'équilibre (⇨35).

Se centrer en équilibre sur le temps (nº 35)

En haut de la pente, abandonne tous tes objectifs, toutes tes tensions. Attends que seul l'instinct du cœur te donne le départ (⇨25).

Installe-toi dans ton centrage, sur tes pieds (cf. 9), autour du centre de gravité, en globalité (cf. 8).

Aperçois l'instinct à l'œuvre (cf. 34).

En ne considérant que le centrage et cet instinct qui guide tout, constate qu'aucun lien ne te retient dans le passé.

Constate que rien ne t'appelle dans le futur, aussi proche soit-il, même en bas de la pente.

Observe le pur instinct, seul, se déployer dans le présent.

Constate que tous ces points de centrage sont reliés, ceux de l'espace (pied, centre de gravité) et cette situation d'équilibre sur le temps. Ressens, en une unité physique et spirituelle, l'alignement de tous ces équilibres dans l'espace et le temps.

Apprécie l'infinie stabilité de cet équilibre, lorsque tous ces centrages sont coordonnés.

Jauge l'intense et inaltérable joie dont cet équilibre est entouré.

Constate que tu peux t'y abandonner en toute confiance. Alors que tu as déjà lâché prise sur le temps, tu ne t'enfonces pas, mais tu es fermement porté par cette joie, en cet équilibre.

À l'équilibre de l'espace et du temps se trouve un point qui est à la fois le cœur du temps et la porte hors du temps.

Commentaires

Après avoir secoué la perception du temps et reconnu que l'accès à l'intemporel ne pouvait se faire par des méthodes causales, cet exercice est celui du maintien en équilibre sur le point du pur présent. Il s'agit bien d'un sommet. Tout ce qui s'en écarte part soit dans la vallée du passé, soit dans la vallée du futur. Il est bien différent du sentiment du temps dans le flow, qui est in fine un temps altéré, car profondément tendu vers un objectif. Ici, le skieur n'est tiré vers aucune direction du temps, il n'est pas encore proprement au-dessus du temps, mais il se tient en équilibre sur l'axe linéaire du temps.

Et comment fait-on pour maintenir un équilibre ? En alignant points de contact et centres de gravité, que ce soient ceux de l'espace ou du temps.

Ce point est donc à la fois résolument dans le temps et également celui qui permet de basculer hors du temps. De ce point sommital, on ne domine pas exclusivement la vallée du passé et la vallée du futur mais d'autres vallées hors du temps.

Observer le temps dans sa profondeur (nº 36)

Positionne-toi en équilibre sur le temps (cf. 35).

Arrête-toi et maintiens-toi dans cet équilibre.

Apprécie comme tu es fermement porté par cet équilibre, comme si tu flottais sur l'eau.

Laisse-toi t'enfoncer doucement dans cette eau.

Sans te retenir à la ligne du temps, descends dans la profondeur de cet équilibre.

Observe devant et autour de toi les lignes de causalité qui t'ont amené jusque-là et te poussent à agir dans telle ou telle direction. Chacune peut être perçue dans sa totalité (passé, futur, déterminants de son déploiement) et ramassée dans une sphère unique. Repliées sur elles-mêmes, tu les perçois comme des sphères, des bulles, qui flottent autour de toi.

Lorsque ton regard se porte sur elles, constate comme tu appréhendes instantanément leur nature sans avoir besoin de les redéployer dans la durée pour les reconnaître.

Chaque sensation que tu pourrais détecter dans ton corps est liée à une de ces sphères. Ces sensations sont l'extension physique d'une de ces lignes de causalité. Fais le tour de ces sensations pour identifier toutes les sphères de causalité qui t'entourent.

Certaines sont plus ou moins proches, en fonction de leur emprise sur ce qu'était l'action présente.

Reconnais, parmi les plus proches, celles influençant ta pratique du télémark.

Apprécie à quel point pouvoir les observer à distance renforce l'immense quiétude qui te porte. Ceci te permet de continuer à descendre dans la profondeur.

Familiarise-toi, juste par l'attention de la conscience, aux différentes sphères de causalité que tu rencontres ou qui semblent influer sur toi le plus fréquemment. Ne cherche pas à les démêler ni à les déployer, contente-toi de les percevoir dans leur entièreté.

Ton temps a de multiples axes, une infinité d'axes. Tu peux les observer s'agencer.

Commentaires

Les exercices précédents ont commencé à démêler les fils du temps, pour ensuite trouver un point d'équilibre hors des différentes lignes de causalité. De ce promontoire, il s'agit maintenant d'observer le paysage de la causalité, c'est-à-dire toutes ces lignes qui font la trame causale de notre temps. Comme en ce point le skieur s'est dégagé d'elles, il peut percevoir ces routes de causalité dans leur totalité : d'où elles viennent, où elles vont, ce qui jalonne leur parcours… Le regard de la conscience n'a pas à les parcourir dans le détail pour voir tout cela, chacune peut être saisie dans sa globalité dans le champ de vision et directement synthétisée. L'exercice ci-dessus emploie l'image de *sphères* pour les désigner. Chacun pourra se forger sa propre image synthétique, en fonction de la manière dont il les appréhende.

S'il n'est pas facile de les distinguer, une revue du corps peut être un support utile pour révéler les plus proches, celles qui tiennent le skieur dans leur filet. Toute perception, toute tension physique est en effet l'expression d'une ligne de causalité dont il ne s'est pas libéré.

Dès qu'elles peuvent être aperçues sous leur forme synthétique, les lignes de causalité ne doivent pas être trop analysées ou intellectualisées, au risque d'y rentrer. Il s'agit juste d'exercer l'attention à les percevoir dans leur globalité. Cette ouverture permettra de mieux pénétrer dans le milieu d'éternité qui prolonge l'équilibre précédemment atteint et d'améliorer la compréhension innée des trames de la causalité.

Si la porte d'entrée vers ce niveau de perception peut être trouvée grâce à une pratique sportive telle que le télémark (cf. 35), elle n'est bien entendu pas exclusive. Le télémark n'est qu'un chemin d'accès privilégié pour certains. Cet exercice sera plus facile à mettre en œuvre dans des moments statiques, hors-ski notamment.

La permanence de cette perception marque également un changement de vision fondamental par rapport à la notion du temps susceptible de se déployer dans l'ensemble de la vie et des activités (⇨16/Indigo).

Illuminer le paysage des causalités et la descente (nº 37)

Observe le temps dans sa profondeur (cf. 36).

Donne-toi à cet espace hors du temps dans lequel tu peux t'appuyer en confiance et en joie (cf. 34).

Installé dans cet état, affine-le, en le maintenant (cf. 19), en le polissant (cf. 20) comme s'il s'agissait de la forme sous-jacente à un exercice physique.

Fort de ton expérience de l'écoute, reconnais que cela est suffisant pour que des portes s'ouvrent. Maintiens-le, polis-le.

Admire comme ce milieu, malgré sa profondeur, s'emplit de lumière. Ce n'est en fait qu'un environnement de lumière qui te porte.

Considère les sphères de causalité (cf. 36) toujours présentes qui te forment et interagissent entre elles.

Éclaire-les de cette lumière.

Porte le faisceau de cette lumière sur l'ensemble de ces causalités.

Note qu'éclairer ces causalités dans leur totalité te permet de les reconnaître comme des objets distants et externes dont tu peux te détacher.

Note qu'éclairer ces causalités dans leur totalité t'apprend à les voir comme un tout, malgré leurs multiples facettes. Ceci te permettra de les distinguer et d'identifier intuitivement leur emprise lorsque tu seras replongé dans le cours du temps.

Observe comme certaines sont progressivement pénétrées par la lumière, deviennent transparentes, perdent leur substance, puis progressivement s'effacent et se dissolvent.

Consens que l'action de cette lumière sur les sphères du temps est une voie, éternelle par essence, pour se libérer des causalités éminemment temporelles.

Ainsi en tant que skieur, tu peux voir l'ensemble de ce qui te fait skier et les flux de causalité qui traversent ta pratique.

En descente, tu peux également voir en conscience, le flow qui se déploie et tout ce qui viendrait interférer avec lui.

Par le simple éclairage d'une lumière fondamentale, tu peux dissoudre ce qui viendrait entraver le flow.

Commentaires

Une fois que le paysage de la causalité dans son ensemble peut être perçu (cf. 36), cette étape invite le skieur à constater qu'il existe toujours intensément, bien que sorti de cette trame qui dirige toutes ses actions. Ce n'est pas de l'obscurité que l'on trouve si l'on écarte tous les fils de causalité dans lesquels l'on est pris habituellement mais de la lumière.

De là, cette lumière peut être utilisée pour simplement éclairer les différentes sphères de causalité précédemment distinguées. La lumière est le fond de la conscience qui porte sa pure attention sur ce qui l'entoure. Le travail de l'attention peut même être suffisant pour repousser certaines formations causales. Sans aller jusque-là, cela permet à force de les observer de mieux les connaître. Lorsque l'on est pris dans leur cours, dans leur flow, il est possible de les reconnaître de l'intérieur et d'en jouer avec distance et une conscience profonde.

L'application à la pratique du télémark devient alors évidente, le skieur peut avoir un rapport non asservi au flow. Il le voit comme la principale sphère de causalité à l'œuvre dans la descente. Et il perçoit également se matérialisant, dans le champ de son éclairage, toutes les sphères de causalité susceptibles d'influer sur son ski. Il peut donc apprendre à s'en servir pour maintenir le flow de l'exécution de la descente. Ainsi, il écartera toutes les perturbations qui pourraient soit le faire sortir de la zone du flow, soit le pousser à la faute. Par exemple, le simple fait d'apercevoir un skieur qui va plus vite ou de passer sous un télésiège à la vue des autres pourrait être l'élément déclencheur inconscient d'un peu plus d'engagement ou de vitesse. Ceci troublerait alors le flow, voire mènerait à la chute. Quand on retrace l'origine profonde des chutes et accidents, ce type de situation est fréquent. Le skieur qui sait éclairer le champ des causalités à l'œuvre en lui pendant la descente pourra reconnaître cette nature d'événements dès leur potentielle formation, au moment où ils sont encore en éclosion. Les éclairer suffit alors à les dissoudre instantanément.

Dans la lumière

Nous venons d'identifier la lumière comme le fond de la conscience portant sa pure attention sur ce qui l'entoure (cf. 37). Nous allons maintenant chercher à utiliser cette lumière qui permet d'éclairer le paysage des causalités pour nous ouvrir le chemin plus avant. Nous ne skions alors plus tellement sur la neige mais dans ce milieu…

D'abord, nous éclairerons directement notre descente avec cette lumière (⇨38, 39). Puis, en concentrant cette lumière, nous viserons à en faire un réflexe, à passer plus vite à travers les éléments connus de la trame (⇨40). Si tout cela devient l'objet même de notre ski, un nouveau plan s'ouvrira (⇨41). Ainsi, nous quitterons la pente enneigée pour la conquête d'une perpétuelle descente intérieure.

Outre le télémark qui est amené sur un autre plan, c'est également la source de cette lumière qui s'éclaire au fur et à mesure que l'on progresse sur cette voie. La question se posera alors d'aller aussi l'explorer bien qu'elle soit par nature immensément lumineuse et incommunicable (⇨42).

Éclairer la préhension de la pente (nº 38)

Éclaire toutes les formes de causalités qui t'entourent (cf. 37).

Éclaire ta descente de cette lumière.

Choisis une piste avec une bonne densité d'obstacles ou de points techniques. Par exemple, retiens un champ de bosses irrégulières ou toute autre paroi qui n'est pas d'une évidence absolue à descendre, et qui te sollicite dans le rythme à maintenir.

Porte le faisceau de cette lumière sur ton contact avec ces obstacles.

Note que pour certains enchaînements, tu décryptes ou choisis un chemin de passage (par les creux, à mi-hauteur des bosses, par le haut des bosses...). Tu adresses la succession d'obstacles par une stratégie de passage élémentaire prenant en compte le milieu. L'obstacle est adressé par une technique pertinente par rapport à la perception de sa nature théorique. C'est la reconnaissance de la nature de l'obstacle.

Note que pour d'autres séries d'obstacles, c'est leur configuration entre eux qui te permet de déceler directement un chemin particulier plus adapté. Celui-ci surgit comme une évidence. Du fait d'une forme particulière que révèle cette configuration, tu identifies un passage dans sa globalité, ce qui te projette directement dans l'avenir à la sortie de ce passage. C'est la reconnaissance de la forme de l'obstacle.

Note enfin que pour certaines suites d'obstacles, tu rentres en contact avec eux comme si tu les connaissais déjà intimement dans leur totalité. Tu les perçois selon toutes leurs facettes. Là aussi, un chemin s'impose intuitivement, non plus parce qu'à leur forme tu associes directement un type de solution, mais parce qu'au contact de leur profonde essence tu connais aussitôt pleinement la voie à prendre. C'est la reconnaissance intrinsèque.

Constate qu'il y a plusieurs niveaux de préhension de la descente et de ses obstacles : reconnaissance de leur nature, reconnaissance de leur forme, reconnaissance intrinsèque.

Face à cela, constate qu'il y a différents niveaux d'ampleur d'apparition et de révélation de l'intuition.

Commentaires

Cette première étape d'observation vise à révéler les différents niveaux de préhension de la descente, ainsi que le travail plus ou moins instantané de l'intuition dans la résolution des obstacles auxquels le skieur est confronté.

Cet exercice d'écoute a vocation à affiner une sensibilité à des niveaux de reconnaissance des problématiques rencontrées plus ou moins ensemblistes ou intégraux. Ceci est fait en travaillant sur un cas extrêmement simple et concret qu'est l'obstacle physique, tel qu'une bosse dans la piste. Trois niveaux de préhension sont ici distingués, néanmoins l'échelle peut encore s'étendre vers des niveaux intégrant encore plus de dimensions (⇨41).

Il permet aussi de visualiser avec quelle vitesse et quelle extension dans l'avenir l'intuition trace des lignes de devenir en réaction à la préhension de l'obstacle. En effet, cette capacité de préhension et la réaction intuitive sont les deux faces d'une même pièce.

De là, cette acuité, cette conscience nouvelle de ces mécanismes va pouvoir être appliquée tant sur les obstacles physiques de la descente que sur le plan intérieur (⇨39 à 41).

Éclairer la piste intérieure (nº 39)

En descente ou au repos, considère les sphères de causalité (cf. 36) toujours présentes qui te constituent et interagissent entre elles.

Éclaire toutes les formes de causalités qui t'entourent (cf. 37).

Éclaire largement et de manière détendue toutes les entrées dans le champ de cette lumière, qu'elles se fassent par la pensée, par les émotions ou les sens. Il s'agit d'autant de niveaux d'expression de la causalité et des influences externes.

En lien avec ta connaissance et ta pratique de la préhension de la pente et de ses obstacles (cf. 38), note quand des nouvelles idées, émotions, sensations s'invitent dans le champ de ton expérience. Tu peux les percevoir de manière brute et indépendante ou reconnaître la forme de la sphère de causalité qu'elles expriment, voire tout de suite appréhender dans son entièreté l'ensemble de la trame dont elles font partie.

Observe comme certaines sont progressivement pénétrées par la lumière, deviennent transparentes, perdent leur substance, puis progressivement s'effacent et se dissolvent.

Apprécie avec quelle force, quelle résistance, chacune de ces impressions ou causalités que tu traverses résiste à sa dissolution. Apprécie leur texture dans le contact avec ta conscience. Apprécie comme elles accélèrent ou ralentissent la lumière.

Note la reconnaissance intrinsèque et immédiate des sphères de causalité que tu as déjà dissoutes et appréhendées maintes fois. Ta conscience les repousse dynamiquement, se servant de leur propre force pour les surpasser instantanément.

Note la reconnaissance rapide de la forme des sphères de causalité, pensées, émotions et sensations dont tu sais décrypter les contours. Ta conscience identifie aussitôt un chemin autour d'elles pour ne pas succomber à leur emprise.

Note la reconnaissance limitée à la nature (pensée, émotion, sensation) de ce qui rentre dans le champ de préhension de ta conscience de l'instant. Dans ce cas, tu connais des méthodes pour te reconcentrer sur l'unicité de ton ski et de ta descente (cf. 1, 2, 3, 19, 20...).

De même que tu descends la piste physique (faite de bosses, de différentes textures de neige, etc.) en appréhendant les obstacles et en y réagissant, tu descends également une piste intérieure. Celle-ci est faite de sensations, d'émotions, de pensées autour desquelles et sur lesquelles ta conscience se déploie.

Ta conscience glisse sur une neige dont les cristaux sont les sensations, émotions et pensées.

Perçois comme chaque occurrence élémentaire de pensée ou d'émotion que tu appréhendes et éclaires accélère ta conscience et la joie primordiale.

Commentaires

Cet exercice se place dans la continuité du travail fondamental de la lumière mise précédemment en valeur (cf. 37). En s'appuyant sur la compréhension de la préhension de la pente (cf. 38), il permet d'aborder le paysage intérieur avec une approche plus dynamique. L'approfondissement des sphères de causalité, des nœuds qui se nouent dans la trame du temps, fournit la capacité de les dénouer de plus en plus vite. L'accroissement de la connaissance sur la façon dont les nœuds se dénouent ouvre la voie vers une paix permanente. La manière dont sont adressées les sensations, émotions et idées nouvelles est la même que pour une descente en télémark. La vie devient une continuelle descente.

Cela va donc bien au-delà de la gestion des perturbations permettant de conserver un état de l'ordre du flow dans la durée. Il y a d'ailleurs un détachement par rapport à tout état particulier, de sorte qu'une conscience d'un ordre qui survole tous ces états est mise en lumière. Peut-être, est-ce à partir de là que l'on peut parler de *glisse intérieure* ?

Passer de la lumière au feu (nº 40)

Éclaire la piste intérieure (cf. 39).

Constate que tu peux glisser sur toutes les idées, émotions et sensations entrant dans le champ de ta conscience. Tu peux les skier, c'est-à-dire que ta conscience profonde peut glisser au-dessus d'elle et les couper de ses carres.

Alors que ta pratique augmente, note comme cette glisse intérieure est de moins en moins arrêtée par des obstacles ou l'expression de causalités qui viennent te retenir. Apprécie comme cette descente se fluidifie et s'accélère.

Perçois qu'il existe une force capable d'écarter et purifier tous types d'interférences.

Dans le cours de tes autres activités quotidiennes, si une ombre surgit saturant tes émotions, obscurcissant ta pensée, limitant tes sens, éclaire-la en totalité, en y faisant face directement de toute cette intense lumière.

Avance contre cet obstacle qui obscurcit soudainement l'horizon pour éclairer toutes ces facettes et l'embraser.

Avance de sorte que le feu de cette lumière te précède, que le front des flammes calcine instantanément tous les obstacles intérieurs.

Observe que tu glisses directement par-dessus eux, de même que tu peux skier une pente dans sa totalité sans avoir à contourner chaque bosse.

Observe que certaines de ces ombres, bien qu'elles se présentent initialement sous la forme d'un haut mur masquant tout, s'effacent sous l'action de cette lumière. Et ce, de la même manière que certains obstacles de la pente qui s'ouvrent littéralement en deux devant toi.

La lumière que tu peux porter sur les idées, émotions et sensations est aussi le flambeau qui peut les consumer.

Commentaires

Ici, les capacités à reconnaître la nature, la forme ou l'identité même de ce qui se présente à la pensée, aux émotions ou aux sens sont combinées, synthétisées, dépassées dans un élan unique. Un enchaînement de ces obstacles peut alors être adressé dans sa totalité sans passer par une reconnaissance unitaire.

À ce stade, le lien avec le télémark n'est parfois plus là qu'au titre de la métaphore. Sa pratique a auparavant été un moyen d'accès, un laboratoire pour isoler certains mécanismes et développer certaines compétences de conscience. On arrive cependant ici à un point où c'est bien dans l'ensemble de la vie intérieure et extérieure que se déploie cette vision.

Survoler la pente et la surface intérieure (n° 41)

Éclaire ta préhension de la pente (cf. 38).

Distingue reconnaissance de la nature, reconnaissance de la forme et reconnaissance intrinsèque des obstacles rencontrés.

Note qu'il existe des expériences de la pente qui dépassent ces niveaux de reconnaissance. Sans plus y reconnaître aucun obstacle ou groupe d'obstacles individuellement, tu survoles l'ensemble de la pente et ce qui la compose.

Tu ne perçois plus juste une ou plusieurs solutions qui te projettent en avant au-delà d'une série d'obstacles, mais tu vois l'ensemble du champ des possibles des trajectoires. Il n'y a plus une ou deux trajectoires en cours de formation qui se révèlent instantanément, c'est l'ensemble de l'espace des trajectoires que tu vois devant toi. C'est la reconnaissance de l'espace des possibles.

Éclaire maintenant la piste intérieure (cf. 39).

Note que tu n'es plus limité à la reconnaissance individuelle des sensations, émotions et pensées. Vois l'immense espace que la conscience peut emplir au-dessus de tout cela. En avant, ta lumière continue à éclairer et dissoudre ces sensations, émotions et pensées et une immensité de lumière baigne l'espace ouvert au-dessus d'elles.

Lève ton regard au-dessus de tout cela. Apprécie le bleu du ciel alors que tu glisses au-dessus de tout.

Commentaires

Cet exercice est dans la continuité logique des deux précédents (cf. 38, 39). La conscience est portée à un autre niveau. Elle n'identifie plus comment se déploient individuellement les trajectoires de ski et de pensée autour d'un obstacle, mais accède à l'espace de l'ensemble des trajets possibles.

Sur le plan intérieur, le travail réalisé jusqu'ici permettait de distinguer comment le pur flux de conscience peut glisser sur les pensées, émotions et sensations. Tant qu'il glisse dessus, il est encore en contact avec elles, néanmoins sans plus être immergé dedans. Ici, on se place au-dessus de cette interface de contact entre conscience et couches sous-jacentes. Ainsi, l'on voit l'ensemble de cette surface par le haut. Elle ondule, du fait des poussées constantes des pensées, émotions et sensations sur la conscience.

Même la joie de quiétude observable quand cette surface est aplanie, au repos, devient un phénomène subalterne. En effet, cette joie traduit l'état où cette surface est dans un état sans forte pression, juste un cas particulier. Au-dessus de cela, il existe un espace d'un autre niveau de paix.

Orienter la lumière vers sa source (nº 42)

Éclaire toutes les formes de causalités qui t'entourent (cf. 37).

Éclaire ta descente avec cette lumière.

Regarde ce qui te permet d'éclairer les causalités.

Reconnais la direction d'où vient la lumière. Tourne-toi vers la profonde source intérieure de cette lumière.

Si tu ne sais pas où la chercher, regarde dans la joie, regarde dans le cœur, regarde en arrière, par l'intérieur, pour remonter à sa source. Cherche la seule pulsation primordiale de conscience. Porte alors la lumière sur la joie et ce qui en est le substrat. Dirige-toi vers là d'où vient le souffle, non pas celui de la respiration physique, mais celui de la pulsation de vie intérieure.

Plonge tes yeux dans la source de lumière. Oriente-toi vers le fondement de ce qui perçoit.

Plonge ton visage dans cette eau-lumière qui jaillit.

Plonge tout entier dans la source de lumière sans te retenir à rien.

Laisse-toi tomber dans cette lumière, en chute libre dans cette joie.

Rien ne sert d'essayer de la forcer, de diriger un projecteur fortement sur elle. Il faut juste se reposer à cette frontière de l'intérieur pour la connaître, pour que la conscience se connaisse elle-même.

N'y cherche rien, n'y note rien, n'y trouve rien...

Il n'y a rien à percevoir tel que tu pouvais précédemment le faire pour les sphères de causalité, car c'est la lumière qui porte sur elle-même.

Tu disposes entre tes mains d'une flamme stable de pure lumière.

Commentaires

On a précédemment identifié la lumière qui permettait de distinguer les sphères de causalité. Il s'agit ici d'aller à la source de cette lumière, vers le fondement de la conscience, de porter le regard de la conscience sur ce qu'Est la conscience elle-même.

Cet exercice est plutôt à réaliser en statique qu'en descente. Il est par ailleurs littéralement sans fin. Autant la lumière peut éclairer des pensées, des sensations, des émotions dont elle détoure la forme et sur lesquelles elle finit par influer ; autant elle ne peut pas avoir la même action sur elle-même, sur son essence propre.

La seule voie est donc de s'y remettre de manière totalement détendue, en n'en attendant rien, juste pour la connaissance de la conscience fondamentale, de l'organe de la volonté profonde.

Est-ce pour autant la fin du parcours avec la lumière ? Non, cette lumière a embrasé un nouveau flambeau dont il est désormais possible de se servir pour éclairer le chemin. Ce que nous sommes, au sein de cette lumière qui éclaire tant l'intérieur que le reste du monde, peut encore être approfondi (⇨43).

Être et Union

Chacune des trois voies précédentes, que ce soit le souffle, le temps ou la lumière a exploité la pratique du télémark comme un laboratoire privilégié et spécialisé. Toutes trois nous informent sur notre manière d'être sous ses multiples facettes. C'est l'acte même d'être dans sa dynamique, sa formation et son déploiement, *être* en tant que verbe d'action, qui est observé et étudié.

Dans la continuité de chacun de ces chemins, l'opportunité d'une union de chacune de ces dimensions de notre être à un être plus vaste se présente. Le fait d'être et le mouvement d'union associé prennent des formes différentes dans chaque cas. La lumière nous a dotés de la capacité à appréhender ce qui est à la source de notre existence consciente et de notre perception (cf. 42, 40). Commencer par unir toutes ces visions sur ce que nous sommes personnellement est nécessaire pour être pleinement et totalement. Cela permettra ainsi d'entrevoir le mouvement d'union au cœur même de ce que nous sommes (⇨43). Concernant le chemin du souffle, c'est l'union à un Souffle du Monde, un être tiers, qui se propose à nous (⇨44). En parcourant le chemin au-delà du temps, l'on constate que la matière qui constitue toute notre trame de causalité intérieure est éminemment personnelle. Elle ne peut donc être offerte vers une dimension plus large qu'en respectant ce caractère personnel, c'est-à-dire en le transférant vers un être lui aussi personnel (⇨45). Trois faces de la vérité, trois voies d'accès, trois formes d'être que nous devrons encore chercher à relier entre elles (⇨46). Ceci nous mènera progressivement à la perception même de l'être (⇨46) et au cœur du mouvement de l'être (⇨47, 48), cette union perpétuelle.

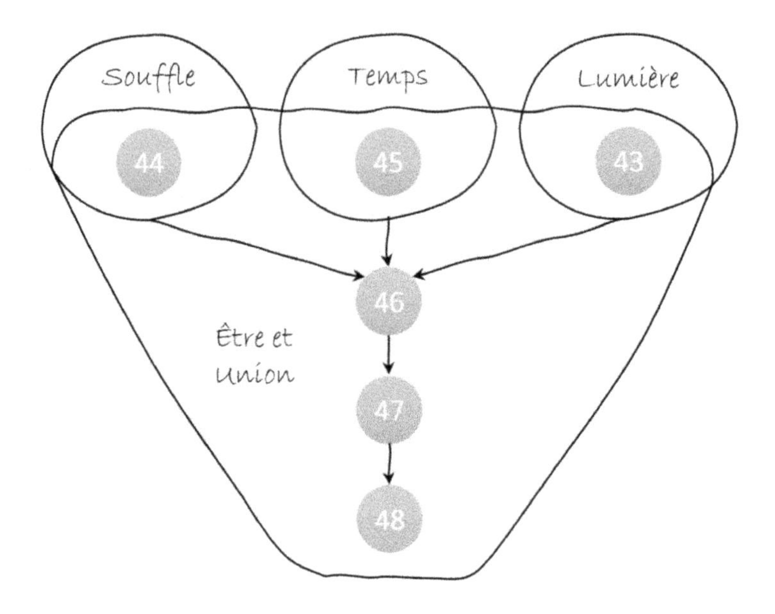

Unir les deux flambeaux de la conscience (nº 43)

Repose dans la lumière fondamentale, flamme stable de pure conscience (cf. 42).

Déploie la lumière que tu peux porter sur les idées, émotions et sensations, celle qui permet de les distinguer et qui est aussi le flambeau qui peut les consumer (cf. 40).

Voilà les deux flambeaux qui sont entre tes mains. Admire l'un et l'autre.

Celui qui brûle crée un vide qui est rempli par la lumière fondamentale.

La chaleur de la lumière fondamentale est telle que tout se consume autour d'elle, de sorte que ne restent que ses flashs.

Ces deux flambeaux ne partagent pourtant qu'une flamme. L'un est la base et l'autre est le pourtour de la flamme. L'un est sa lumière centrale trop intense pour l'œil, l'autre porte les flammes aux mille couleurs qui lèchent et embrasent tout ce qui se présente.

Ils représentent la conscience sur sa face interne et sur ses faces externes. C'est l'unité de la face de la conscience en contact avec le mouvement temporel et de la face en contact avec l'intemporel.

Porte ces deux flambeaux qui n'en sont qu'un. Il réunit le dynamique et le statique, le vivant et le non-vivant, le temporel et l'intemporel, le personnel et l'impersonnel, l'intérieur et l'extérieur…

Les deux flambeaux éclairent tout ce que tu es.

Commentaires

Cet exercice marque l'union entre plusieurs branches de travail, sur les fondements de la conscience (cf. 42) et sur sa dynamique intérieure (cf. 38, 39, 40). Ces deux flambeaux nous éclairent sur ce que nous sommes, sur la signification de : « Je suis ». Il nous pousse au plus loin dans la connaissance de nous-mêmes sous de multiples facettes.

Il ne s'agit cependant pas d'un aboutissement, mais d'un perpétuel chemin. Unir les capacités de vision portées par ces deux flambeaux, c'est également initier une dynamique d'Union de la conscience qui pourra s'étendre au-delà de notre personne (⇨44, 45).

Sur le plan de la pratique du télémark, celle-ci est à la fois totalement dépassée et intégrée à notre élan d'être. C'était une des facettes, tout en étant un laboratoire privilégié. Elle rentre maintenant dans l'ensemble de l'Être.

Unir le Souffle du Monde (n° 44)

Vois le Souffle du Monde (cf. 28).

Reconnais que tu es porté par le Souffle du Monde (cf. 29).

Quelle que soit l'échelle à laquelle tu peux percevoir le Souffle du Monde, le souffle qui t'anime n'en est pas distinct.

Tu es totalement le fruit du Souffle du Monde et ne peux t'en différencier par aucune propriété particulière.

À chaque inspiration, contemple le souffle qui t'anime, à chaque expiration, contemple le Souffle du Monde.

Contemple le souffle qui te porte. Contemple le Souffle du Monde.

Contemple le souffle qui te vivifie. Contemple le Souffle du Monde.

Il n'y a qu'un Souffle.

L'étoffe du corps, des émotions et des pensées n'existe pas sans le Souffle lui-même. Elle est une simple zone de contact entre les volutes et tourbillons du même Souffle.

Le fruit et la racine sont reliés. Le fruit provient de la racine, mais le fruit et la racine ne sont qu'un même arbre.

L'Union du Souffle du Monde et du Souffle qui t'anime est pleine et totale. Tu es le Souffle du Monde. Tu n'es que le Souffle du Monde. Tu es en totalité le Souffle du Monde.

Commentaires

Si nous cherchions quoi (ap)prendre du télémark et ramener hors-ski, un sens de la perception accru du Souffle est peut-être une des réponses. Perception du Souffle du Monde et du souffle qui nous porte sont une même perception.

Ensuite, unir toutes ces facettes du Souffle est un chemin qui doit se poursuivre au-delà des pentes. Cette union est un parcours sans fin.

Donner les causalités, donner son ski (nº 45)

Observe le temps dans sa profondeur (cf. 36).

Donne-toi à cet espace hors du temps dans lequel tu peux t'appuyer en confiance et en joie (cf. 34).

Installé dans cet état, affine-le, en le maintenant (cf. 19), en le polissant (cf. 20).

Éclaire toutes les formes de causalités qui t'entourent (cf. 37).

Il existe également une autre voie amenant à l'évolution des sphères de causalité : les donner, les confier à une autre Personne.

Considère une de ces sphères de causalité et présente-la, propose-la, offre-la intégralement à un Personnel plus grand.

Tu auras probablement, souvent, à admettre la pauvreté et la faiblesse de ce que tu offres.

Abandonne-toi néanmoins et guette la réponse à ce don, sur l'instant et ensuite dans les développements ultérieurs de cette causalité.

Le don peut être définitivement accepté, dissolvant instantanément cette sphère de causalité dans une immense lumière.

Le don peut faire rentrer une nouvelle lumière dans cette causalité sans la dissoudre. Celui qui la reçoit en use selon sa volonté sans l'absorber. Elle pourra continuer à se déployer dans la durée, éventuellement sous la même forme extérieure, mais tous les déterminants en seront profondément modifiés.

Le don peut rester sans réponse. Ce que tu tentes de donner est probablement encore trop opaque, englué dans ta perception du temps, pas encore digne d'être présenté. Le don sera à répéter.

En tant que skieur, tu pourras essayer d'illuminer et donner de multiples sphères de causalité, pour peu qu'elles soient suffisamment isolées (cf. 37). Donne celles liées à ton entraînement, celles liées à l'image que tu te fais de toi en tant que skieur et qui trouvent leur source dans l'environnement extérieur et collectif... Tu pourras même aller jusqu'à offrir toute ta pratique du télémark.

Lorsque tu skies, dans certaines montagnes, des rappels de la dimension personnelle de l'être jalonnent le paysage : les croix sommitales ou à la croisée des chemins. Qu'elles soient un signal pour réaliser ce don.

Commentaires

Éclairer ce qui constitue le temps (cf. 37) trouve une application très concrète dans la descente comme hors-ski. Cela permet d'éclairer le paysage des moteurs du temps et d'aller à l'essentiel en dissolvant les causalités les plus superficielles. Tous les fils de la causalité ne pourront cependant être instantanément transformés par la seule action de la lumière d'une attention supérieure et plus profonde.

Cela serait d'ailleurs une forme d'égocentrisme que de penser pouvoir tout pénétrer rapidement par un investissement intérieur et autonome. Pour ce faire, il faudrait que notre lumière soit suffisamment forte pour tout désagréger. Or, la caractéristique du personnel qui constitue l'humain est bien la capacité de relation à d'autres entités personnelles. Il est donc aussi possible de s'affranchir de certaines sphères de causalité non pas en les dissolvant par soi-même, mais en les donnant à un Personnel plus grand.

Unir les trois personnes de l'être et observer le process de l'être (nº 46)

Note qu'il y a trois modes de relation à l'être : à la première personne, te sentir exister (cf. 43) ; à la deuxième personne, percevoir et te sentir relié à un autre personnel (cf. 45) ; à la troisième personne, distinguer l'existence d'un tout distinct (cf. 44).

Je suis. Tu es. Il est.

Il s'agit du même verbe être.

Prononce « Je suis. » Ressens toute la dynamique de l'être en toi.

Prononce « Tu es. » Sens l'amour qui t'y lie.

Prononce « Il est. » Éprouve l'immensité de ses dimensions.

Répète « Je suis. Tu es. Il est. »

Alterne d'une perception à l'autre : « Je suis. » / « Tu es. » / « Il est. »

Parcours ces trois perceptions successivement : à travers le mental et les images qu'il évoque, à travers les émotions et les sentiments qu'elles suscitent, à travers les sensations et la manière dont ton corps les ressent et à travers le physique et les vibrations de la matière.

Apprends à observer ces modes de perception de l'être.

Ces trois relations fondamentales à l'être s'expriment autour du même verbe être.

Note leur possible union autour de l'Être fondamental dont elles sont toutes une vérité. Procède à l'union de ces trois modes de relation, à la première, deuxième, troisième personne.

Face à cette diversité et cette relativité, procédons comme dans les étapes précédentes : portons l'attention sur la perception de l'être, sur ce qui fait qu'il y a un Être.

Sur toute cette route, l'exercice est toujours le même :

Observer notre manière d'être, au sens de notre relation à l'être, notre perception de l'être lui-même.

Observer encore... La seule observation fait changer.

Et surtout, on Sera.

Commentaires

Ce qui nous fait profondément ressentir l'être n'est pas unique. Cela peut prendre de multiples formes : purement intérieures, devant un paysage de montagnes et forêts, dans le lien personnel à un autre… Tout cela est pourtant issu du même Être dont il faut apprendre à observer les différentes facettes pour pouvoir progressivement les unifier.

Passer par cette réflexion sur les trois personnes présente un caractère concret. Il s'agit d'une possibilité plus simple pour accéder à l'essence commune des trois voies précédentes, préparant leur reconnaissance comme un unique mouvement. L'attention sera, en effet, tout d'abord portée sur les formes du lien à l'être (première, deuxième ou troisième personne)[13], puis sur ce qui fait le lien entre elles. C'est alors le process, l'attraction qui les rassemble ou nous y relie, qui est directement observé.

---

[13] La notion de première, deuxième ou troisième personne est développée notamment dans *Integral Life Practice* (cf. bibliographie). Il y est proposé un exercice similaire.

Il n'y a in fine qu'un seul exercice, celui de l'attention, l'attention à un être toujours plus primordial par un être encore plus primordial. Qu'y trouvera-t-on ? On ne peut se prononcer, on ne peut le communiquer. Toute transcription intellectuelle en serait incomplète.

Par ailleurs, notre accès à la réalité est très limité et relatif. Même les lois physiques qui nous semblent immuables ne sont qu'une traduction de la manière dont nos sens saisissent le monde. Il ne s'agit pas de se détacher de cette réalité ou de la fuir, mais juste de se libérer de la façon dont elle est perçue pour parvenir à son essence qui est le fait d'être. In fine, lorsque l'on skie, la seule tangibilité de cette pratique est celle d'être.

Être à l'interface (nº 47)

Reconnais que le souffle qui te porte est le Souffle du Monde. Reconnais que ce que tu es, ce qui t'anime des cellules à l'intellect, n'est que le fruit du mouvement de ce souffle. Tu n'es qu'une bourrasque en cette atmosphère agissante (cf. 44).

De même, reconnais que toute ton action comme ta perception est le fruit de différents courants de causalités qui te traversent. Tu n'es qu'une trame, une surface agitée par ces mouvements qui génère d'autres causalités et agit sur elles. Tu es l'interface de contact entre ces mouvements de causalité. Tu ne peux agir librement que sur la surface que tu exposes à ces influences et la manière dont tu les laisses te traverser (leur don en est un exemple, cf. 45).

Le double flambeau de lumière réunit à la fois en toi, le dynamique et le statique, le vivant et le non-vivant, le temporel et l'intemporel, le personnel et l'impersonnel, l'intérieur et l'extérieur. Il met aussi en valeur que ta seule consistance est d'être l'action de la lumière sur le monde qui l'entoure (cf. 43).

Quelle que soit la voie, elle te dévoile que tu n'es que l'interface de l'action des fondements du Monde sur lui-même.

Comprends que l'exécution de ton ski, comme tout ton être, n'est qu'une manière d'actualiser le monde.

La pratique du télémark n'est in fine que la mince couche de frottement, l'interface, entre une force fondamentale et son entrée dans le monde, la manière dont elle pénètre le monde.

Apprends désormais à percevoir et à accéder directement au fondement de tout être... Il est inobservable en soi, mais pas son interface !

Observe ta pratique du télémark pour ce qu'elle est, seulement la manière dont la force primordiale et ultime pénètre le monde.

Fais de même pour toutes tes autres activités, pour toute ta vie, qui n'est que la manifestation de la dynamique de l'actualisation du Monde, de l'union de ton être à la Lumière, au Temps, au Souffle.

Commentaires

À nouveau et toujours, il n'y a in fine qu'un seul exercice, celui de l'attention, l'attention à un être encore plus primordial. Si celui-ci ne peut être saisi, nous pouvons néanmoins observer sa trace et sentir son souffle pénétrant le monde puisque nous incarnons ce souffle.

Notre consistance et notre unique pouvoir sont liés à la surface que nous exposons au souffle, au temps et ses causalités et à la lumière ; c'est-à-dire à la manière dont nous accompagnons plus ou moins la dynamique de ces mouvements, dont nous nous laissons ou non emporter et accélérer par eux. C'est de cette façon que nous participons à l'actualisation du Monde et donc que nous sommes au cœur de l'acte d'union à cette dynamique qui l'anime.

Lorsque nous skions, il ne se passe rien de différent... À nous d'ouvrir notre attention et de l'utiliser pour avancer, comme une voile poussée par ce vent. Ainsi, nous serons dans l'Union sur nos skis.

Être (nº 48)

Portée par le Souffle du Monde, le Don du Temps et la Lumière intérieure, l'attention a été ouverte au maximum. C'est maintenant l'Être fondamental dans sa dynamique d'Union qui doit écrire cette page blanche en toi...

ÉPILOGUE

Tout est parti de cette expérience unique que fournissaient certaines descentes en télémark. **Comment accéder une fois de plus à ces instants magiques ? Comment atteindre ce niveau de performance maximale ? Comment rejoindre cet état de conscience exclusif ? Comment se rapprocher de ce qui remet en cause les limites mêmes de ce que nous sommes ou que nous pensions être et l'explorer ?**

Le flow ou la zone est un état mental caractérisé par l'absorption dans l'action, une concentration au plus haut et une satisfaction apportée par la seule réalisation de cette action. Il est présenté comme le Graal dans la vision psychologique du sport. Il fallait donc chercher en premier lieu à favoriser l'émergence de cet état. Pour ce faire, la voie était déjà largement tracée : préparer le terrain intérieur en éliminant les autres pensées et développer l'attention du corps aux paramètres essentiels qui conditionnent cette descente en télémark. Sur ces bases, s'ouvre l'accès à une attention pure, focalisée sur ce qui est strictement nécessaire à la descente. En agissant sur les conditions qui facilitent l'émergence du flow et en en comprenant ses caractéristiques fondamentales, cet état devient reproductible. Il peut même être maintenu sur une durée plus longue dans la mesure où l'on en connaît également les éléments perturbateurs et est capable d'entretenir la boucle autotélique qui lui apporte sa stabilité et sa profondeur.

Cependant, tout en fournissant des réponses à la première question sur la reproductibilité de ces états d'attention et de conscience optimale, l'on en effleure aussi les extrémités. Le caractère si exceptionnel qu'apporte la descente en télémark avec un tel degré de conscience vient notamment de l'hyperconcentration. L'espace de quelques instants, celle-ci élimine la forme habituelle de la perception de plusieurs aspects de notre réalité, en particulier ce qui concerne les ressentis physiques, la temporalité, les motivations profondes et objectifs mêmes… Pour qui sait lire au-delà de l'obsession et de l'autosatisfaction du flow, se dévoilent donc d'autres faces possibles de ces notions d'objectifs, de perception, de temps… À ce stade, la question de la reproductibilité du flow devient presque futile par rapport aux chemins qui s'offrent et dépassent la capacité à atteindre cette forme d'attention.

Il apparaît alors que le télémark et la montagne sont un outil d'évolution. C'est un lieu dans lequel les conditions d'accès à certains états de concentration permettant de plonger dans l'expérience de l'instant et du monde sont favorisées. Dans ce cadre privilégié, il est possible de développer ses facultés de concentration, sa capacité d'expérience focalisée. Il y est même envisageable d'entreprendre un parcours qui ira au-delà des limites de ce qui constituait l'individu au début de cette expérience. Plusieurs natures de limites peuvent être dépassées : limites du temps, de l'espace, de la perception de l'ego, de la personnalité, de la conception de l'essence de l'être…

La grande interrogation est alors : comment aller au-delà du laboratoire ? Comment passer des skis au reste de la vie ? Cela ne peut se faire en une fois. On ne peut pas partir à la fin de la descente en ayant sous le bras tout ce que le télémark nous a donné et le réutiliser tel quel au quotidien dans n'importe quelle situation de la vie. Les premiers jalons qui ont permis d'avancer sur ce chemin avaient certes pour support initial la descente à ski, mais en progressant ils ont pris un aspect universel. La capacité à s'unir au Souffle du Monde, à porter la lumière de la conscience sur son paysage intérieur ou à observer l'essence de l'être pourrait être obtenue sur d'autres substrats que le télémark. Le télémark n'était qu'un terrain d'expérimentation privilégié pour y accéder. Ce terrain bénéficiait cependant des conditions les plus propices. La descente est le seul sujet auquel consacrer son attention. Tout le reste des perturbations est loin physiquement et aussi mentalement pour qui sait s'y préparer. A contrario, de retour dans le quotidien et sorti de la bulle du télémark, il y a à nouveau plusieurs trajectoires à prendre en compte, celles du travail, de la famille, des obligations matérielles et tant d'autres. Toutes amènent leurs lignes de sollicitation de l'esprit, leurs contraintes et s'entremêlent. On est alors bien loin des conditions de laboratoire du télémark. Et pourtant, l'on dispose déjà des capacités élémentaires nécessaires à progressivement simplifier ces situations. On pourra en premier lieu constituer divers environnements similaires à celui du télémark autour d'activités privilégiées présentant des caractéristiques proches. Ces bulles favorables pourront être plus nombreuses et donc les opportunités d'en bénéficier au quotidien deviendront plus fréquentes. Même la marche peut alors fournir une de ces situations idéales. Enfin, toute rencontre, toute situation prévue ou imprévue, pourra progressivement se changer en un espace empli d'un niveau d'expérience semblable à celui initialement découvert sur les skis. Et l'on continuera cependant à retourner souvent vers le laboratoire du télémark, car le travail à y effectuer s'enrichira des apports extérieurs, difficultés rencontrées ou leçons apprises en forant le reste de la vie. La solidité de cette progression et son équilibre résident notamment dans le profit mutuel entre les terrains d'expérience. On part du télémark en ayant touché quelque chose à retrouver sur d'autres terrains, on y revient en ayant décelé quelque chose de nouveau ou avec l'intention de perfectionner un aspect particulier et ainsi de suite. La principale raison d'être du télémark au milieu de toutes nos activités devient de soutenir cette évolution globale.

Et c'est bien là que se trouve l'essence d'un art porté au niveau de la maîtrise. Il ne s'agit pas d'être le meilleur skieur face au chronomètre, la raideur ou la hauteur de la pente. Ni même d'être le plus engagé, quel que soit le sens que l'on donne à ce terme (terrain, innovation ou tout autre critère). Pouvoir reporter ce qu'on apprend dans son art au-delà de celui-ci, pour enrichir sa vie d'être humain dans son intégralité, est la quintessence de la réelle maîtrise.

Irriguer le reste de ces activités des capacités développées sur la neige va au-delà de la reproduction de *recettes*. Certes, tous les exercices et éléments qui permettent de se mettre dans les meilleures conditions sont bons à prendre. Accéder aux mêmes états est également une étape offrant un appui utile dans cette ascension. Néanmoins, sur ce chemin, il est essentiel de dépasser la recherche du flow pour lui-même. Les jalons présentés ici guident quant à la manière de saisir le flow de l'activité immédiate et la façon de monter dessus et s'élever sur celui-ci pour aller plus loin. Ces pistes de parcours vont au-delà de la transposition de pratiques liées au télémark vers d'autres occupations ou même dans un cadre de vie plus général. À leurs extrémités, elles préparent à une union plus intégrale, par la base de ce qui constitue l'être.

Tous ces jalons ne sont que des points de passage sur un unique parcours d'ouverture de l'attention et de l'évolution de la conscience. Ce parcours commence par l'attention au corps, aux pensées et aux émotions, puis il approfondit toute leur formation, pour se consacrer ensuite à l'attention à l'être fondamental. La rencontre avec celui-ci s'opère par union. Enfin, l'attention pourra se porter sur le processus même de l'être et de cette union. L'*union* ici évoquée n'est pas une dissolution. Il ne s'agit pas d'effacer toute notre personnalité et de la fondre dans le milieu montagnard, d'aller vers un simple panthéisme de la montagne. Bien au contraire, nous sommes déjà traversés par ce à quoi nous devons nous unir, nous sommes son produit comme nous concourons en même temps à le former, à l'actualiser. La concentration de cette force d'évolution et de cet esprit, ce mouvement d'*Être*, doit se poursuivre en chacun pour qu'il s'y unisse, tout en restant soi. Cette Union peut être abordée selon plusieurs faces. En suivant la voie de la lumière de la conscience (cf. 38 à 42), l'on commence notamment à unir les capacités de préhension du monde (cf. 43). En parcourant le chemin du souffle (cf. 25 à 29), c'est vers l'union au Souffle du Monde que l'on se dirige (cf. 44). En explorant les sentiers du temps (cf. 30 à 37), l'on peut également aller vers une forme d'union (cf. 45). Toutes les voies, à un certain niveau, nous mènent donc à l'union, à une seule union (cf. 46). Toutes ses marches d'approche aboutissent à une même ascension : l'Union, qui est un parcours sans fin.

Au moment de conclure cet ouvrage, il est important de rappeler encore une fois que tout ce qui a été présenté ici n'est qu'une collection de jalons, de traces, d'endroits par lesquels certains sont passés. Ils ont constitué un tournant pour eux ou la confirmation qu'il fallait encore pousser plus avant dans la même direction. Il ne s'agit que de débuts de sentiers, de pistes qui ont toutes pour point commun de partir de la pratique du ski, du télémark et d'autres sports de glisse sur neige. Il n'y a donc pas *Un* parcours ou *Une* voie absolue. Et s'il devait y en avoir une, ce serait celle de chacun, la vôtre. In fine, vous serez le seul auteur de votre itinéraire (cf. 48).

Dans ces exercices-jalons, ceux que certains pratiqueront pour s'élever pourront être une déchéance pour d'autres, plus avancés sur ces chemins. Chacun étant à un niveau différent, il a besoin de marches adaptées. La relation à l'état de flow en est un exemple parmi d'autres. Il peut être considéré comme une forme d'expérience ultime par certains. Il est pourtant possible, tout en s'appuyant solidement sur celui-ci, de progressivement l'utiliser tel un outil, de lui reconnaître un rôle spécifique dans une expérience qui le dépasse largement.

Si le chemin est propre à chacun, on ne choisit cependant pas celui-ci dans sa totalité. Se focaliser sur l'atteinte d'un objectif ou d'un état qui nous dépasse encore est vain. Cela aurait pour effet de se concentrer sur ce *vouloir*. Alors, il n'y aurait plus de place pour l'abandon à l'attention, pour l'ouverture aux rencontres et opportunités du chemin. Vouloir se tracer une voie particulière serait donc bien orgueilleux, un manque d'humilité. Cette attention ouverte introduite dès l'observation du corps et du télémark est valable à tous les niveaux de la progression. Il est indispensable de rester dans cette nature d'attention ouverte à toutes les échelles. Il nous est nécessaire pour continuer à évoluer de ne rien viser, de ne pas rechercher un état précis et en même temps d'être prêt à dépasser tout ce dont nous pourrions être aujourd'hui capables. En effet, nous avons vu dans la partie sur les bases que nous ne pouvions pas tout obtenir par la tension, qu'il fallait se tourner vers une attention détendue et ouverte. Comment ? En créant les conditions de cette attention et par l'observation, en laissant la pratique du télémark aller à l'essentiel et s'enrichir graduellement. Cependant, se donner des objectifs dans cette progression, aussi élevés soient-ils, c'est se limiter à faire uniquement ce dont nous sommes capables ou que nous pensons être capables de faire. Or, il s'agit justement de laisser ouverte une capacité d'attention, sensorielle, émotionnelle, intellectuelle et spirituelle bien au-delà de cette limite (⇨49).

Lorsqu'elle rencontre l'enjeu de l'Union, cette route spirituelle partant du télémark devient sans fin. La route sera différente pour chacun. La route est ouverte et elle ne fait que commencer. Ne refermons pas un livre, mais laissons ouvert un cahier à écrire (⇨48). Et pour ce faire, remontons tout de suite sur nos skis, que ce soient ceux qui skient sur la neige ou ceux de la montagne intérieure. En faisant cela, nous serons alors, d'une certaine manière, déjà arrivés (⇨50).

Pour que cette conclusion n'en soit pas une, ouvrons-nous à deux derniers jalons qui l'illustrent et pourront nous accompagner sur la suite de la route…

Deux faces du chemin (n° 49)

Face 1 : Rien ne sert de vouloir faire ! Écoute !

Sur les skis, reconnais que tu ne peux pas provoquer ou obtenir la trajectoire parfaite par la tension de ton corps vers cet objectif.

Admets que tu ne l'obtiendras pas en te jetant vers ce but, que ce que tu obtiendrais serait alors incomplet.

Au contraire, le centrage sur les skis et à l'intérieur est la base qui te permettra de déployer toute trajectoire.

Une fois centré, ouvre ensuite ton attention et attends.

Reconnais qu'il en est de même pour tout, qu'il s'agisse de la trajectoire à ski ou de tout ce que tu pourrais attendre.

Rechercher volontairement et continûment l'atteinte de quoi que ce soit est un piège dans lequel tu t'enfermerais.

Face 2 : Seul t'est permis de vouloir faire plus que tu n'es capable !

Note comment parfois dans ton parcours, sur les skis ou ailleurs, tu as déjà obtenu ce que tu pensais inaccessible ou dont tu n'avais même pas idée de l'existence.

Comprends que vouloir atteindre quoi que ce soit, c'est déjà tracer un chemin vers cela, c'est commencer à aligner ses forces intellectuelles, émotionnelles et physiques pour y arriver.

Et conviens que c'est aussi de l'orgueil, car alors en te tendant vers cet objectif tu comptes sur tes propres forces pour y arriver.

Admets, donc, de ne pas dépendre de tes seules forces. Ouvre-toi à l'idée de dépendre totalement de ce qui est bien plus large que toi.

Tourne-toi et va vers ce dont tu n'es pas capable, vers ce qui dépasse ton entendement. Cela te forcera à dépendre de Lui.

Réunis les deux faces :

Rien ne sert de vouloir faire, écoute !

Seul t'est permis de vouloir faire plus que tu n'es capable, car cela ne dépend pas de toi !

Commentaires

Est-ce un paradoxe que d'inciter à ne se tendre vers rien (face 1) tout en appelant à regarder au-delà de tout (face 2) ? Pourtant, il s'agit des deux faces du problème de l'ego. L'édifice de notre personne tient par ce vers quoi nous tendons. Mettre face à face ces deux impératifs est une étape, un nœud entre la dynamique d'un parcours et l'ouverture à d'autres paliers, à tous les autres paliers. Dès que l'on pense saisir un axe de progression, il faut éviter de tomber dans le piège de faire de celui-ci la totalité du chemin. Au contraire, il est absolument nécessaire de rester ouvert à tout ce qui se trouve encore plus en avant, au-delà de l'horizon.

Pour ce que signifie ici *Lui* : c'est un concept qui nous dépasse et que certains nommeront tout simplement le Souffle de l'Évolution ou du Monde, l'Esprit ou Dieu…

Vis comme si tu y étais déjà (nº 50)

Admets que tu n'atteindras jamais le sommet. Il n'y a pas de sommet auquel tu arriveras.

Et si tu en trouves un, souhaite qu'il y ait toujours un nouveau chemin qui se dévoile, un jalon entraperçu au loin permettant de continuer la route.

Tu devras constamment être ouvert au chemin (cf. 49) et sa poursuite. Il n'y a aucune perfection ultime que tu puisses atteindre sur les skis ou ailleurs.

C'est une quête sans fin que la maîtrise d'un art et a fortiori de celui de vivre. Admets que tu seras perpétuellement sur le chemin.

Pourtant, tu as tout trouvé si tu es porté par la quête de l'Union. C'était in fine la seule chose à trouver.

Tu es à la fois éternel chercheur et celui qui n'a plus rien à trouver que ce qu'il a déjà.

Apprends à ne plus chercher devant, pour mieux être pleinement sur le chemin ici et maintenant.

Ouvre-toi à la part de perfection présente dans chaque instant.

Tu y es déjà et vis le comme tel.

Bonne route !

Les skieurs de Tsallen :
Peter, Lene, Jan, Livia, Olivier, Markus, Alex, Maria, Scott

Annexes

CARTE DES EXERCICES-JALONS

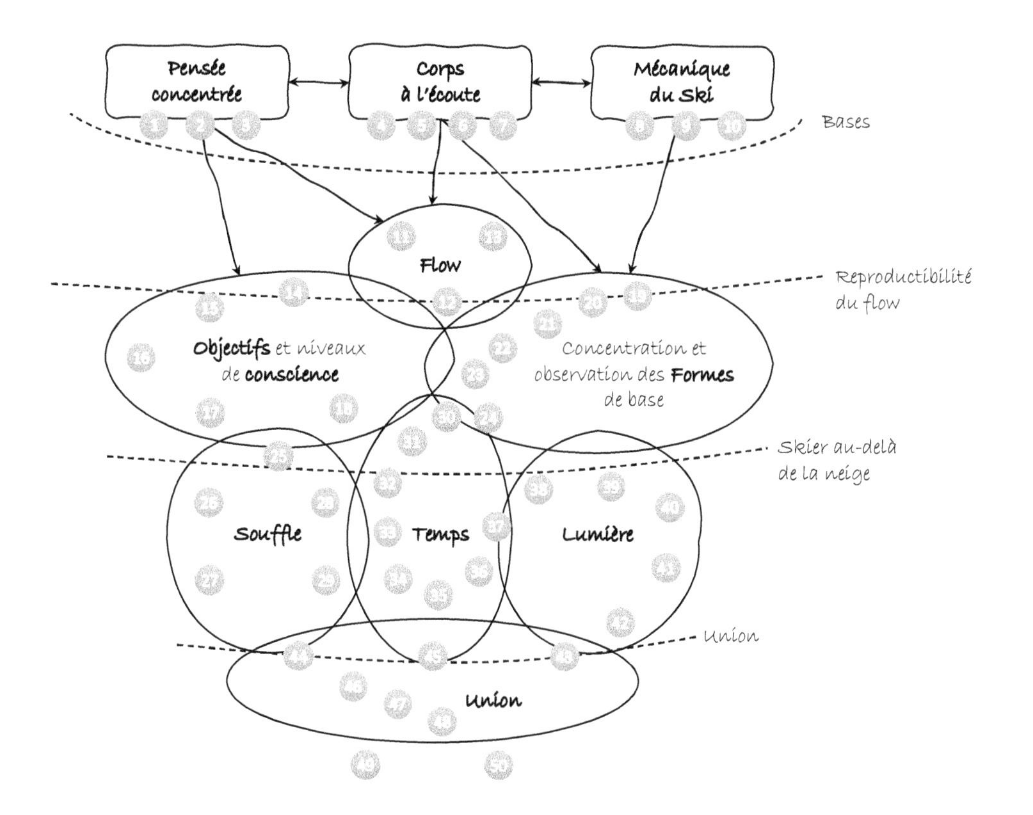

TABLEAU DES CONDITIONS DE RÉALISATION DES EXERCICES-JALONS

⛷	Exercice-jalon à réaliser en descente
❆	Exercice-jalon à réaliser à proximité des pistes
❖	Exercice-jalon sans spécificité liée à l'environnement / hors montagne

Mettre de côté la pensée				
#1	Arrêter la pensée par tous les moyens	⛷		
#2	Concentration ciblée	⛷		
#3	Concentration ciblée et boucle de mesure	⛷		
Écouter le corps				
#4	Conscience générale du corps		❆	❖
#5	A l'écoute du pied	⛷		❖
#6	Le pied comme une main	⛷		❖
#7	Le pied et le ski	⛷	❆	
Principes élémentaires de la mécanique du ski				
#8	Centrage	⛷		
#9	Mouvements en 8	⛷		
#10	Katas et formes de base	⛷		
Sur le flow				
#11	Reconnaître et habiter le flow	⛷		
#12	Embarquer sur le flow et le skier	⛷		
#13	Préparer la descente intérieure		❆	❖
Objectifs et niveaux de conscience				
#14	Pourquoi fais-tu du télémark ?			❖
#15	Reparcourir son évolution de skieur			❖
#16	À travers les teintes de la conscience			❖
#17	Discerner les couleurs qui nous composent et se mélangent			❖
#18	Être sans le télémark ?			❖
Formes de base du télémark et conscience				
#19	Maintenir la concentration sur la forme	⛷		
#20	Polir la concentration sur la forme	⛷		❖
#21	Écouter la forme pour ce qu'elle est	⛷		
#22	Observer la forme traverser le temps	⛷		
#23	Laisser la forme réémerger	⛷		
#24	Accéder au cœur de la forme et observer l'espace qui sertit la forme	⛷		

Sur le Souffle				
#25	Saisir la joie de la descente	⛷		
#26	Rester dans le calme et l'équilibre de la fin de descente	⛷		❖
#27	Emporter la quiétude de la descente		❆	❖
#28	Voir le Souffle du Monde		❆	❖
#29	Être porté par le Souffle	⛷	❆	❖
Au-delà du temps				
#30	Entrevoir la trame des lignes du temps	⛷		
#31	S'extraire des fils du temps		❆	
#32	Briser spontanément le cours causal du temps	⛷	❆	❖
#33	S'arrêter sur le chemin du temps	⛷	❆	❖
#34	Atteindre la source au-delà du temps ?	⛷		
#35	Se centrer en équilibre sur le temps	⛷		
#36	Observer le temps dans sa profondeur		❆	❖
#37	Illuminer le paysage des causalités et la descente	⛷		❖
Dans la lumière				
#38	Éclairer la préhension de la pente	⛷		
#39	Éclairer la piste intérieure	⛷		❖
#40	Passer de la lumière au feu	⛷		❖
#41	Survoler la pente et la surface intérieure	⛷		
#42	Orienter la lumière vers sa source	⛷		❖
Union et être				
#43	Unir les deux flambeaux de la conscience	⛷		❖
#44	Unir le Souffle du Monde		❆	❖
#45	Donner les causalités, donner son ski		❆	❖
#46	Unir les trois personnes de l'Être et observer le Process de l'Être			❖
#47	Être à l'interface			❖
#48	Être			❖
Poursuivre le chemin				
#49	Deux faces du chemin			❖
#50	Vis comme si tu y étais déjà			❖

Bibliographie

BALMAIN, Patrick « Thias », *La Glisse intérieure*, Le Souffle d'Or, 2005

CSÍKSZENTMIHÁLYI, Mihály, *Finding Flow*, Basic Books, 1997

GALLWEY, W. Timothy, KRIEGEL, Robert, *Inner Skiing (Revised Edition)*, Random House, 1977

PHIPPS, Rick, *Skiing Zen : Searching for the Spirituality of Sport*, Iceni Books, 2006

TSALLEN, Les skieurs de, *Vers la maîtrise du ski et au-delà*, Olivier Couvreur, 2022

WILBER, Ken, PATTEN, Terry, LEONARD, Adam, MORELLI, Marco, *Integral Life Practice*, Integral Books, 2008

www.mastery-and-beyond.com

ISBN: 978-2-9553579-5-8
Dépot légal : Septembre 2023
Imprimé en Allemagne par BoD

Milton Keynes UK
Ingram Content Group UK Ltd.
UKHW020822050923
428087UK00008B/746